petite collection maspero

KU-705-338

Rémy Butler, Patrice Noisette

# De la cité ouvrière au grand ensemble

*La politique capitaliste
du logement social
1815-1975*

FRANÇOIS MASPERO
1, place Paul-Painlevé, V°
PARIS
1977

© Librairie François Maspero, Paris, 1977
ISBN 2-7071-0932-0

L'apport de ce texte se limite à la mise en valeur de ce qui nous paraît constituer les déterminants essentiels de la politique capitaliste du logement social en France.

En ce sens, il tend à faire le point du problème, à en récapituler les données ; il en propose une nouvelle lecture.

Une lecture permettant de mieux percevoir les objectifs politiques qui sous-tendent les différents projets en lutte sur le front de l'espace.

Nous tenons à souligner la participation de E. Rougier au mémoire qui fut la première base de cet ouvrage, et à remercier B. Millet.

I
_____

Du logis tanière
au grand ensemble

# 1. Histoire économique et politique du logement social (1815-1960)

La lente accumulation des capitaux marchands durant la période féodale avait permis l'éclosion des premières manufactures et l'accélération des progrès technologiques. Au sein même du système féodal se forment de nouveaux circuits économiques, premières bases de constitution d'un nouveau système de production et d'échanges : le mode de production capitaliste. La détention de ces circuits définit une nouvelle classe sociale : la bourgeoisie.

Lorsque la bourgeoisie française se trouva prête, à la fin du XVIII$^e$ siècle, à revendiquer tant le libre exercice de son pouvoir économique que le pouvoir politique correspondant, elle n'eut pas la « chance » de ses compagnes anglaise et allemande : non seulement la noblesse française n'était pas désireuse d'investir ses capitaux dans l'industrie, de se fondre au sein de la bourgeoisie industrielle naissante, mais bien au contraire, forte de son organisation politique, elle était décidée à conserver son statut, survivance d'un féodalisme que minait pourtant déjà la bourgeoisie depuis Colbert.

Face à l'opposition irréductible du pouvoir nobiliaire, la bourgeoisie dut s'allier au tiers état dans son ensemble pour renverser l'Ancien Régime. Alliance traîtresse où le peuple fut vite dupé : la révolution de 1789 ne fut pas la sienne, quand bien même ce fut son sang qui coula.

L'une des grandes bases de cette duperie, inscrite en lettres d'or dans la Déclaration des droits de l'homme et du citoyen, fut la notion de propriété. Là où le peuple lisait l'appropriation des outils et du fruit de son travail, la bourgeoisie écrivait sa victoire : la propriété privée des moyens de production, la possibilité d'acheter librement la force de travail.

Si 1789 signifia une profonde rupture : passage du mode de production et des rapports sociaux de la féodalité à ceux du capitalisme, la bourgeoisie ne consolide véritablement sa nouvelle situation de classe dominante qu'à l'issue de l'Empire, à la suite d'une période de « capitalisme de guerre ». Mais les caractéristiques proprement françaises de cette rupture pèseront encore longtemps sur le fonctionnement du mode de production et des rapports sociaux capitalistes.

De l'habitat à la répartition géographique des activités, l'espace va connaître au fur et à mesure de l'évolution économique et sociale de la France, de multiples transformations. De la cité ouvrière de Mulhouse à la ville nouvelle d'Evry, les avatars de l'espace réservé à la classe dominée ne peuvent être compris qu'au travers d'une lecture du fonctionnement du système économique et social qui les porte.

## 1815-1840 : le développement du mode de production capitaliste

Si la révolution bourgeoise de 1789 suscite bien des espoirs, elle laisse vite la place aux réalités. Dans son rapport du 7 mai 1794 à la Convention, Robespierre analyse lucidement l'évolution de la classe dirigeante : « La liberté est sans doute le meilleur des régimes, surtout quand elle permet le " triomphe des brigands ", ce petit nombre qui " fait travailler le grand nombre, est nourri par lui et le dirige " et bénéficie de toutes les commodités de la vie, en ameublement et en bonne chère. » C'est ainsi que la loi Le Chapelier qui brise le système des corporations, va faire de l'ouvrier une marchandise en autorisant la liberté du travail.

C'est au nom de cette liberté que « les entrepreneurs pourront faire travailler les enfants de sept ans ; au nom de la liberté, les loyers augmenteront quand les salaires diminueront ; au nom de la liberté, le prolétariat industriel sera parqué dans les taudis et les cloaques des cités ouvrières [1] ».

L'augmentation de la natalité et la baisse de la mortalité, l'apparition d'un sous-emploi dans l'agriculture, vont livrer les paysans en surnombre aux patrons des manufactures : naissent les grandes concentrations ouvrières de Sedan (10 000 ouvriers) ou de Rouen (30 000).

L'industrie textile sera le premier secteur d'entraînement du développement économique. Nous entendons par-là le secteur économique dans lequel le taux de profit interne est le plus important. Là où l'accumulation du capital est la plus importante. Nous utiliserons par la suite le terme « secteur dominant » pour recouvrir ces deux idées. Ce secteur s'est développé en France à la suite des centres textiles anglais (Manchester) et des pays flamands. Les rapports avec les pays de la périphérie, qui sont à l'époque des pays dominés par l'Europe occidentale, se font en termes d'échanges : on importe le textile indien et le coton américain, matières premières transformées dans les manufactures françaises.

A cette époque, le type d'entreprise le plus répandu est l'entreprise familiale. C'est celui qui possède le capital industriel qui organise et dirige le procès du travail. C'est l'époque de relation directe entre capital et capitaliste.

Tandis que le capital industriel prend une importance quantitative de plus en plus grande, le poids du capital foncier pèse lourdement. En effet, toutes les terres des nobles émigrés ont été saisies durant la Révolution et, devenues biens nationaux, elles ont été vendues. Cette vente répondait à deux nécessités : rétablir une situation financière dangereuse, et surtout structurer sociologiquement et idéologiquement, autour de l'idéal de la propriété, la bourgeoisie qui seule avait les moyens d'acheter les biens nationaux. En compen-

---

1. L. HOUDEVILLE, *Pour une civilisation de l'habitat,* Ed. ouvrières.

sation de la nuit du 4-Août, le mouvement paysan en recevra sa part. Ainsi, « pendant un siècle, la paysannerie, dont l'appui restera cependant nécessaire au règne de la bourgeoisie, entretiendra une idéologie pusillanime, fondée sur le culte des valeurs anciennes et sûres, la thésaurisation de l'épargne, le refus du " progrès ", des " mutations ", du départ vers les villes [2] ».

Cette parcellisation des sols est encore accrue en agriculture par la disparition du droit d'aînesse, qui s'inscrit dans le processus de la formalisation du droit bourgeois, pratiquement achevée à cette époque. Le Code Napoléon, catalyseur de toute l'idéologie bourgeoise, est la traduction des principaux acquis de la Révolution. Il ne subira guère que quelques modifications, comme la suppression en 1816 du droit de divorce. Les bases juridiques de l'hégémonie bourgeoise sont maintenant assurées.

Si la France vit alors sous le régime des « notables » où, face à un pouvoir central relativement faible, le jeu des influences tient lieu de doctrine, elle voit néanmoins les ministères pratiquer une politique économique. C'est l'ère des grands travaux d'infrastructure liés au chemin de fer. « Ces grands travaux sont à l'origine des migrations internes mobiles. Ils donnent lieu à des spéculations foncières d'envergure. L'industrie lourde exige la création de grandes installations qui conduisent à la centralisation de la main-d'œuvre [3]. » Engels résume ce phénomène : « L'époque à laquelle un pays de vieille culture passe [...] de la manufacture et de la petite industrie à la grande industrie est aussi par excellence celle de la " pénurie de logements ". D'une part, des masses de travailleurs ruraux sont brusquement attirées par les grandes villes qui se transforment en centres industriels ; d'autre part, la construction de ces vieilles cités ne correspond plus

---

2. A. LIPIETZ, *Le Tribut foncier urbain*, Maspero, Paris, 1974, p. 282-283.
3. L. HOUDEVILLE, *op. cit.*, p. 24-25.

aux conditions de la grande industrie nouvelle et du trafic qu'elle détermine [...]. Dans le même moment où des travailleurs affluent en foule dans les cités, on démolit en masse les habitations ouvrières. De là une brusque pénurie de logements pour les travailleurs et pour le petit commerce et l'artisanat qui dépendent de la clientèle ouvrière [4]. » Plus l'industrie est prospère, plus l'habitat populaire est misérable. Par milliers les ouvriers vivent en garnis. L'habitat rural n'est pas mieux loti : « Mauvais logements et mauvaises conditions de travail se conjuguent remarquablement pour accroître la misère physiologique. Tel est l'envers de la prospérité [5]. »

## 1840-1850 : première crise structurelle, les luttes ouvrières de 1848

Ce premier essor du capitalisme français ne peut se poursuivre. Les prémisses de sa première crise structurelle apparaissent dès 1840. Cette crise est d'abord une crise de surproduction classique dans le secteur dominant, le textile. Mais, fondamentalement, elle est liée à la faiblesse du mode de production capitaliste par rapport à l'ensemble de la société : trop d'activités lui échappent, ce qui limite son développement. Sur le plan international, l'arrêt de l'exportation par les Etats-Unis de leur coton va avoir un effet d'entraînement. Il marque le point de départ de l'extension de la sphère capitaliste aux pays de la périphérie. Le protectionnisme qui règne dans les pays européens et aux U. S. A. ne correspond plus aux besoins d'extension du capitalisme et, pour l'instant, il accentue la crise.

Cette crise entraîne la réponse des travailleurs. Si la révolution de 1848 est une révolution bourgeoise, elle n'en donnera pas moins lieu à l'expression des

4. F. Engels, *La Question du logement*, Préface, Ed. sociales, 1957, p. 9.
5. L. Houdeville, *op. cit.*, p. 24.

premières luttes ouvrières. C'est d'ailleurs en observateur des premières semaines de la république que Marx écrivit *Les Luttes de classes en France* : il y démasque la tendance invincible du « petit bourgeois » à osciller entre les grandes forces sociales en présence et il dénonce dans l'attitude des « centristes » (Ledru-Rollin, Lamartine) une volonté consciente de désamorcer la lutte ouvrière.

Par la réalisation de la rente foncière, la propriété privée des sols empêche le libre transfert du capital d'une branche de l'économie capitaliste à une autre. La contradiction qui apparaît ainsi entre le monopole d'usage de la propriété foncière et le développement de l'industrie capitaliste s'exprime avec force alors que même les plus mauvais terrains sont mis en exploitation [6].

Dans le domaine de l'idéologie, le phénomène le plus marquant est l'apparition d'une conscience de classe bourgeoise destinée à s'opposer aux luttes ouvrières [7]. Sur la famille, sur la propriété, c'est le combat de deux idéologies. Le parti de l'ordre réprime toute conception autre que bourgeoise et conservatrice. Les élections du 13 mai 1849 ont laissé voir pour la première fois que le socialisme pouvait franchir les murs des villes. Ce résultat épouvante la bourgeoisie : ces rouges ont été élus non point par surprise dans l'euphorie d'avril 1848, mais consciemment après un an d'expérience et de lutte. Et cet électorat est pour une part paysan : du Cher, de l'Allier, de la Dordogne et du Lot-et-Garonne, du Var, etc. L'idée qu'un paysan du Var puisse être mentalement plus près d'un ouvrier que d'un paysan de la Mayenne effraie le bourgeois. A la pensée que les millions de paysans français peuvent être des rouges en puissance, il frémit.

Il se développe alors une phobie du rouge. Tout

---

6. Pour plus de développement, voir l'annexe sur la rente foncière.
7. Cf. M. AGULHON, *1848 ou l'Apprentissage de la liberté (1848-1852)*.

rappel ostensible de la couleur socialiste est réprimé. On fait appel à l'éducation et à la religion pour restaurer l'idée de l'enfant sage et bien élevé, de l'honnête famille bourgeoise, et pour inculquer au non-possédant un solide respect pour l'ordre et la prospérité. Enfin, on vote des lois de classe pour étouffer la presse populaire et restreindre le corps électoral.

Mais on refuse de traiter le problème du logement. Villermé écrit : « Partout où la population ouvrière est en grand nombre, il ne sera jamais possible de fournir des logements convenables à tous ceux qui en font partie [...]. Tel est le sort du pauvre dans tous les pays : la force des choses, la dure loi de la nécessité le veulent malheureusement ainsi. » Cependant, dans une ambiance de mauvaise conscience et de peur — souvenir de l'épidémie de choléra de 1849 —, on vote la loi du 13 avril 1850, point de départ d'une législation sur le logement populaire. Mais elle reste inefficace, faute de volonté politique.

## 1850-1870 : la réponse à la crise, le Second Empire

Le capitalisme va répondre à cette crise par la concentration du capital. Les données sociales et politiques vont le lui permettre : la conscience de classe bourgeoise commence à se structurer face à la classe ouvrière, et la constitution d'un pouvoir fort, le régime impérial, va favoriser le développement capitaliste. Ce développement et cette concentration du capital se déplacent du textile vers les chemins de fer et l'acier, industrie corollaire, qui vont devenir les secteurs d'entraînement. L'Etat favorise cette concentration au bénéfice des capitalistes. Dès le début de 1852, il concède de nombreuses lignes nouvelles et surtout il accorde aux compagnies un très long bail d'exploitation (généralement 99 ans) qui facilite l'amortissement de leurs dépenses initiales. Dans le même temps, il favorise leur fusion. Le rail est un moteur capital de la croissance industrielle du pays. Il entraîne de très grosses commandes, faites notamment aux entreprises de sidérurgie et de construction mécanique : rails de fer qu'il faut souvent renouveler, halls de gare, matériel roulant, ponts en fer. Ces commandes massives favorisent leur essor : la recherche des meilleurs produits et des prix les plus bas possible par les compagnies ferroviaires stimulent l'innovation industrielle et poussent à la concentration des entreprises.

L'entreprise familiale d' « envergure » perd peu à peu sa suprématie. On assiste aux premiers développements de l'expansionnisme industriel à la périphérie, de même qu'à l'extension de la sphère capitaliste aux Etats-Unis. Par l'abandon du protectionnisme intégral, on revient à un libéralisme économique plus « régulier ». Mais les petits capitalistes y perdront leur autonomie. L'ère du grand capitalisme est arrivée.

Face à l'expansion du mode de production capitaliste, la classe ouvrière se structure, qui va trouver ses premières armes de lutte dans la création de la I$^{re}$ Internationale animée par Marx et Engels et dans la reconnaissance en 1864 d'un droit de grève bien limité.

D'autre part, deux éléments apparaissent importants au cours de cette période sur le plan de la formation du capital : l'apparition et la structuration du capital financier et l'autonomisation relative du capital industriel. Pour encourager la production industrielle, l'Etat intervient et prête, exceptionnellement et à un taux modéré, les capitaux qui aident l'industrie à se perfectionner. De plus, l'importance des emprunts émis par l'Etat pendant les années de guerre exerce d'énormes ponctions sur le marché des capitaux susceptibles de gêner le financement des entreprises privées. Ce gouvernement fort inspire confiance aux milieux d'affaires : les liens sont très intimes entre certains ministres et hauts fonctionnaires et les représentants du grand patronat et de la finance ; il laisse les grosses sociétés nouvelles écraser les petits entrepreneurs traditionnels ; sous la pression des milieux d'affaires, il néglige d'appliquer les règlements gênants ; il adapte la législation à l'essor du capitalisme et donne une énergique impulsion aux entreprises privées en décrétant de grands travaux. L'État fort devient l'État providence du grand capitalisme.

La hausse des prix de vente entraîne une augmentation très forte du profit des entrepreneurs, car leur prix de revient inclut des éléments dont les coûts progressent moins vite : le loyer et les salaires, éléments de la reproduction de la force de travail. Cette fête des profits stimule l'esprit d'entreprise qui caractérise l'époque (James de Rothschild). La règle d'accumulation du capital joue à plein. L'autofinancement, mode de financement dominant, peut se révéler insuffisant pour les besoins considérables des nouvelles entreprises capitalistes. Il est alors nécessaire de centraliser les épargnes.

Cela explique la « révolution bancaire ». A la suite du Crédit mobilier des frères Pereire, c'est le monde du capital financier qui se bâtit un empire. L'activité de la Bourse est le symbole de cette évolution : titres, obligations, actions, établissements de crédit, toute l'épargne disponible est ratissée, centralisée, investie, et souvent exportée, car les taux de profit sont plus intéressants à la périphérie, quitte à délaisser l'essor industriel interne qui s'essoufle.

L'État intervient en urbanisme. Les grandes réalisations de Haussmann à Paris ont leur pendant dans les grandes villes. Elles répondent à plusieurs préoccupations idéologiques : maintien de l'ordre en détruisant les ruelles propices aux barricades et en plaçant d'imposantes casernes d'où rayonnent des avenues rectilignes propres aux tirs d'artillerie ou aux charges de cavalerie, création d'un nouveau cadre pour la classe dominante avec ses grands magasins, ses grandes banques et ses gares [8]. Ces travaux vont donner lieu à une gigantesque

---

8. Cf. Cornu, *La Conquête de Paris* : « La croissance industrielle et le vif développement du commerce se trouvaient entravés dans le carcan du Paris médiéval en son centre [...]. Paris est à refaire, en sorte que la ville devienne "cadre productif" [et] puisse satisfaire aux besoins du nouveau mode de production. »

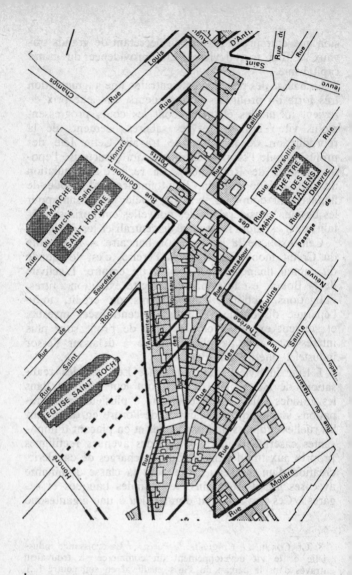

Superposition du tracé de l'avenue de l'Opéra réalisé par Haussmann et du tissu urbain ancien.

spéculation foncière où le capital financier va user de tous ses pouvoirs. « L'immobilier constitue en effet un terrain d'élection pour l'application des idées nouvelles. La politique, la finance et la popularité du régime y trouvent leur compte [...]. Pendant que l'habitation bourgeoise atteint [...] sa forme la plus parfaite [...], les classes populaires doivent émigrer vers la périphérie des villes. L'habitat devient encore plus sommaire : les anciens logements bourgeois sont divisés en plusieurs unités locatives pour augmenter la rentabilité [9]. » La spéculation foncière et immobilière est le fait d'assez nombreux propriétaires, mais on retrouve aussi un capital financier conquérant.

Le droit va suivre et favoriser cette évolution. Le droit des sociétés élaboré à cette époque va survivre jusqu'en 1966. La bourgeoisie a fait taire ses dissensions pour faire face au peuple. Par l'instruction, où l'on a laissé le champ libre à l'Eglise, par l'habitat, par son train de vie qu'il doit étaler, par une morale de plus en plus autonome, le bourgeois se sent en lutte contre le pauvre, le prolétaire. Cette manière de se distinguer, souvent évoquée par Zola, s'étend de plus en plus aux classes moyennes, à cette petite bourgeoisie qui cherche à imiter la grande.

## 1870-1890 : l'après-Commune, deuxième crise structurelle

Avec Sedan et la Commune de Paris, l'effondrement du régime est un des signes annonciateurs de la deuxième crise structurelle du capitalisme français. Cette crise va s'étendre jusqu'en 1890-1895. Elle va entraîner une différenciation de plus en plus marquée entre secteur avancé (la sidérurgie) et secteur récessif (le textile). Mais l'effondrement des taux de profit dans certains secteurs ne permet plus aux secteurs avancés d'avoir le

9. L. HOUDEVILLE, *op. cit.*, p. 39.

même effet d'entraînement. Pour répondre à la crise qui dure, les concentrations industrielles vont se développer, mais tant que la contradiction entre capitalisme et propriété foncière s'exprimera de manière si aiguë, le mode de production capitaliste ne pourra s'étendre plus généralement. Le droit de propriété industrielle se développe pour répondre aux nécessités des concentrations, de même que le droit des monpoles avec la multiplication des brevets.

Cette période marque la victoire de la bourgeoisie sur la classe ouvrière, vaincue en 1848 et 1871. Et ce pouvoir politique bourgeois se structure autour de l'idéal républicain. La république bourgeoise va assurer son hégémonie et sa victoire définitive sur la noblesse et l'Eglise au moyen de l'école laïque. Quel meilleur moyen que l'école ouverte à tous pour transmettre les valeurs auxquelles tient la classe dominante ? Elle va cependant faire quelques tentatives pour résoudre les problèmes posés par la classe ouvrière : la loi de 1884 autorise sous la pression populaire la création de syndicats. L'exemple a été donné par les canuts à Lyon en 1831 et, plus récemment, par les syndicats de bûcherons de l'Auxerrois. Mais la période est marquée par la lutte idéologique que se livrent républicains et catholiques. Le rétablissement du divorce est un des indices de la victoire des premiers sur les seconds. C'est maintenant l'heure d'une bourgeoisie républicaine.

Le principal bastion des intérêts fonciers survit cependant, car la bourgeoisie a besoin de « classes-appui » face au mouvement ouvrier. Cette alliance est une sorte de compromis : la bourgeoisie industrielle et financière protège les propriétaires fonciers de toutes sortes contre les « partageux » et limite volontairement le développement des forces productives et l'extension du capitalisme qui remettraient en cause le pouvoir puis l'existence même de ces classes-appui.

Le capital financier s'organise et se structure réellement : il s'établit une division du travail entre les banques de dépôt (Crédit lyonnais), spécialisées dans les opérations de crédit à court terme, et les banques d'affaires, orientées vers le développement industriel. Les premières préfèrent les effets de commerce et créances gagées, valeurs plus sûres que les « risques » des entreprises industrielles. Cela aussi explique la stagnation industrielle de la France.

D'autre part, la famille bourgeoise se replie sur elle-même, attentive à l'enfant et à son avenir : famille aux naissances restreintes, désireuse de s'élever par le malthusianisme et par l'épargne, elle est plus oppressive pour l'enfant que la famille populaire. La femme bourgeoise ne travaille pas : destinée au mariage, gardienne du foyer, elle doit apprendre à tenir sa maison, à régenter les domestiques, à élever ses enfants. Une solide formation morale doit garantir sa vertu. Peu d'études, juste de quoi faire honneur à son mari. Quant à la femme ouvrière, elle doit être celle dont la prévoyante et instinctive prudence détourne heureusement le mari de la grève.

L'école laïque est chargée, officieusement, de transmettre ces valeurs. Se présentant comme devant affranchir la conscience de l' « esprit rétrograde », l'idéologie laïque se réduit bien souvent à une sagesse pratique qui exalte l'épargne et l'économie, prône l'hygiène et la sobriété. Dans la classe ouvrière, le genre de vie s'urbanise, devient indépendant des racines paysannes : c'est la fin de l'achat par le capitaliste de la force de travail de la totalité de la famille ouvrière. Les enfants doivent aller à l'école, et ne peuvent plus être livrés au patron avant treize ans. C'est sur cette toile de fond qu'apparaissent les premières traductions des œuvres de Marx.

Grâce à elles, les révolutionnaires vont notamment élaborer les premières réponses au problème du logement : ce sera le travail du parti ouvrier de montrer qu'il existe une identité absolue entre l'exploitation dont sont victimes les travailleurs sur leur lieu de travail et celle dont ils sont victimes pour le logement. La fin de la crise du logement ne peut s'obtenir que par l'élimination pure et simple de l'exploitation et de l'oppression de la classe laborieuse par la classe dominante. Il refuse la formule des cités ouvrières, ghetto qu'il serait facile de flanquer de casernes et de mitrailleuses prêtes à tirer dans le tas à la moindre effervescence.

## 1890-1914 : la réponse à la crise, l'impérialisme et la guerre

La période 1890-1914 va être celle de l'apparition de nouveaux secteurs industriels. Nous assistons à la deuxième révolution industrielle, qui se fonde sur l'électricité, l'acier et la chimie. La possibilité de taux de profit importants dans ces nouveaux secteurs va permettre une réponse à la crise par la mise en place de l'hégémonie impérialiste. Les colonies françaises, qui sont pour la plupart déjà acquises en 1914, si elles ne sont pas le lieu d'une implantation industrielle importante, n'en constituent pas moins un lieu où s'investit le capital financier dont les profits sont nécessaires à la relance économique. Car la France connaît une période d'expansion industrielle et de hausse des salaires réels liée à une baisse tendancielle des prix qui se poursuit de 1820 à 1900.

Le capitalisme industriel tient à conserver son autonomie devant le capital financier. Une solution : l'autofinancement. 71 % des fonds investis (1900-1913) proviennent de la plus-value accumulée et réinvestie par l'entreprise. C'est pourquoi il est peu juste d'utiliser les termes de capital financier, qui au sens strict signifie la fusion du capital industriel et du capital bancaire [10]. Grâce à un réseau d'une rare densité, le capital bancaire pompe littéralement toute l'épargne disponible. Cette masse de capitaux s'investit de plus en plus à la périphérie, surtout après 1898 : la France entre par ce biais dans l'impérialisme.

---

10. Afin d'éviter de donner une trop grande complexité à notre analyse, nous emploierons cependant le plus souvent les termes de « capital financier », de manière indifférenciée.

C'est en partie grâce au colonialisme que l'on assiste à des regroupements industriels structurés par le capital financier. Ainsi en est-il surtout en Indochine. Les compagnies qui se constituent pour l'occasion ont un taux de profit très élevé (entre 25 et 38 %). Les actionnaires en bénéficient d'autant plus qu'elles ne procèdent à aucun auto-investissement. Seule une politique de contrainte rigoureuse, ruineuse pour la vie des populations et pour la survie des ressources naturelles, permet d'obtenir de tels résultats. Dès avant la guerre, elles s'effondrent. Cette économie de traite et de pillage est fort éloignée des soucis de rentabilité régulière qu'éprouvent en métropole les dirigeants des grandes firmes industrielles et bancaires.

La nouvelle prospérité est donc basée sur l'impérialisme. Le système colonial se manifeste par l'extension des monocultures (l'arachide au Sénégal par exemple), l'exploitation des ressources minières (phosphates...) et la restructuration sociale dans les pays nouvellement colonisés.

A l'intérieur, on assiste à une succession de crises conjoncturelles, crises de surproduction classiques, de plus en plus rapprochées. Au bout d'un temps, les produits de la périphérie se heurtent aux limitations des marchés intérieurs. La course aux débouchés qui en résulte entre les pays industrialisés entraîne un nouveau retour au protectionnisme (1892). Mais le déséquilibre des marchés intérieurs et internationaux est trop grand : les impérialismes se dressent les uns contre les autres et se lancent dans le gigantesque conflit de 1914. Celui-ci va permettre la destruction du capital constant surabondant [11] et surtout, en orientant l'économie vers une économie de guerre, l'ouverture de nouveaux marchés.

C'est pendant cette période que nous pouvons situer la naissance véritable de la petite bourgeoisie. Assimilant l'idéologie bourgeoise maintenant bien structurée,

---

11. Et d'une certaine partie du capital variable...

par son désir d'ascension sociale elle en fait siennes les valeurs et va lui servir d'appui pour développer sa pénétration dans la classe ouvrière. La grande presse est à son apogée. Elle a élargi son public et se veut le « régulateur des passions collectives [12] ». Ainsi se répandent les valeurs de la culture dominante : le goût archaïsant, les valeurs rurales, la confiance dans le travail comme source de prospérité, et les hiérarchies sociales « naturelles ». Thèmes repris par l'école laïque : l'idéologie de la réussite sociale par le travail, la discipline de la vie collective, l'épargne et le respect des corps constitués.

La situation du logement ne s'est pas améliorée. Une fraction importante de la classe ouvrière vit dans les garnis. Le propriétaire se décharge de ses rapports avec la « classe dangereuse » sur un locataire principal qui cherche par tous les moyens à améliorer son revenu. Le propriétaire, lui, déchargé de ces ennuis, devient indifférent à l'état de son immeuble.

## 1918-1945 : la troisième crise structurelle, la montée du fascisme et le Front populaire

La guerre a été une réponse décisive à la suraccumulation du capital. Une de ses conséquences principales est la redistribution des cartes entre les impérialismes. La France, durement éprouvée, ne peut plus prétendre aux toutes premières places. L'économie américaine domine l'économie capitaliste mondiale. Ses développements, ses crises vont se répercuter sur les économies capitalistes européennes. Une conséquence fondamentale du conflit est que la Russie échappe, après 1917, à la sphère capitaliste.

Les difficultés que connaît l'économie américaine pour se réadapter à une économie de paix se répercutent sur l'ensemble des pays industrialisés. En France,

---

12. Il s'agit du *Petit Parisien*.

la crise se conjugue aux difficultés propres du pays : dette de guerre et dépréciation monétaire.

Le capitalisme s'étend peu à peu dans l'agriculture. Celle-ci ne s'industrialise qu'à la fin de la guerre. Le procès de travail commence d'y être bouleversé. Par ailleurs, la croissance industrielle est relancée malgré les problèmes monétaires. L'expansion du capitalisme se poursuit. Il s'appuie sur les nouveaux secteurs d'entraînement, l'automobile, le pétrole et l'aéronautique, où les taux de profit sont les plus importants. Cette croissance se fait sous l'auspice d'une bourgeoisie particulièrement affairiste. Les liens entre grands industriels, financiers et hommes politiques sont très étroits. La III⁰ République est riche de scandales qui éclatent à la suite des compromissions des dirigeants dans les affaires les plus louches. Ce grand capitalisme doit s'appuyer sur les classes moyennes et particulièrement sur le petit commerce qui connaît son âge d'or. En effet, les luttes syndicales sont particulièrement vives au moment où le capitalisme en plein essor se fait de plus en plus dominateur. Les procédés d'automation, de travail à la chaîne dus à Taylor installent de grandes machineries et écrasent le producteur isolé, désapproprié de ses propres actes. Mais la multiplication des crises conjoncturelles, de plus en plus rapprochées, est le signe du développement des contradictions du système.

En matière de logement, une mesure législative d'importance est prise : le blocage des loyers. Cette mesure est ainsi expliquée par A. Lipietz [13] : « Avec la remontée de la combativité des travailleurs, parallèle à la croissance de l'industrie française, donc au lent déplacement du rapport de forces en faveur de la bourgeoisie industrielle à l'intérieur du bloc au pouvoir, la situation change. A chaque fois, c'est sous la poussée de la classe ouvrière que le capital industriel impose à la propriété immobilière des " réformes sociales " [...]. La saignée de la France, la ruine

---

13. *Op. cit.,* p. 185-186.

générale qu'elle entraîne et la vague révolutionnaire en Europe offrent une première occasion d'attaquer le monopole des propriétaires immobiliers (cette rente immobilière). Face à la montée du mécontentement (100 000 personnes, à l'appel de l'Union confédérale des locataires, manifestent sur les Champs Elysées), le blocage des loyers est imposé... au nom bien sûr de la défense de l'ordre et de la propriété ! " Ces mesures ne sont pas dirigées contre les propriétaires, ni même en faveur des locataires (*sic*), mais dans l'intérêt de la collectivité ; et si on avait maintenu sans adoucissement la rigueur littérale des contrats, les situations aiguës et intenables qui en eussent résulté auraient inévitablement provoqué des désordres graves [14]. " La ruine des propriétaires immobiliers est amorcée [...], mais ils ne construisent plus du tout de logements, et personne, si ce n'est l'Etat, n'est en mesure de leur succéder [...]. Parallèlement à ses H. B. M., l'Etat offre une aide à l'accession à la petite propriété, autant pour compenser la carence des propriétaires immobiliers que pour accélérer l'intégration idéologique de la classe ouvrière. Mais la loi Loucheur ne fait ainsi qu'aggraver le problème foncier péri-urbain. »

La loi Loucheur vise à encourager la construction. Il faut plusieurs tentatives avant qu'elle ne soit enfin acceptée par le Sénat où le poids du capitalisme foncier et immobilier est particulièrement lourd. L'idée principale consiste à relayer l'initiative privée par l'aide de l'Etat.

La proposition de Loucheur vise à construire 500 000 logements en dix ans, le financement étant assuré par l'émission d'obligations faites par certains organismes de H. B. M., et l'Etat s'engageant à prendre en charge la moitié du coût des intérêts et de l'amortissement. Arthur Levasseur trace les grandes lignes d'une nouvelle politique : « Le fait devant lequel nous nous trouvons, c'est que la construction privée s'est arrêtée, en ce qui

14. A. LEVASSEUR, rapport au congrès international d'urbanisme, Strasbourg, 1923.

concerne les petits et moyens logements surtout. Les causes en sont multiples. Les propriétaires, éprouvés momentanément par la guerre [...], ont été dérangés de leur quiétude traditionnelle et restent défiants en l'avenir [...]. Aussi apparaît-il que c'est aux collectivités qu'incombe aujourd'hui le devoir de parer à la carence des propriétaires [...]. Les collectivités seules peuvent disposer des larges crédits nécessaires à la réalisation de grands projets standardisés. Elles doivent construire pour trois sortes d'habitants : la population ouvrière, la population moyenne et la population aisée. La population ouvrière doit être servie la première parce qu'elle est la plus mal logée. Il y a là un fait honteux pour notre état social et une question de la protection de la race qui s'impose sans délai. Le loyer sera établi en tenant compte du prix de revient avec participation de l'Etat. Pour la population moyenne, il faudrait louer à un taux correspondant aussi exactement que possible au prix de revient. Pour la catégorie la plus élevée, un léger bénéfice serait prélevé pour compenser en partie les sacrifices consentis au profit de la location ouvrière. Mais par logement ouvrier nous entendons non seulement des logements hygiéniques, mais confortables, munis du chauffage central et de salles de bains [...]. Il faut [...] qu'on cesse de considérer la salle de bains comme un luxe ; la propreté corporelle est indispensable à la santé, elle donne en même temps plus de dignité et de conscience au travailleur. »

Voilà un bel exposé traduisant avec précision les conceptions de cette bourgeoisie représentative du capitalisme industriel. Mais l'analyse des représentants du capitalisme immobilier — ici la Chambre des propriétaires de Paris — n'est pas du tout la même : « La crise résulte de causes naturelles (la guerre)... singulièrement amplifiées et aggravées par tous les décrets et toutes les lois intervenus depuis 1914. Au premier rang, il faut placer la loi de huit heures, qui est venue diminuer la production au moment précis où il eût fallu à tout prix l'augmenter. D'autre part, les divers décrets et lois sur les loyers ont rendu [...] intolérable la situation des propriétaires et ont détruit chez eux la confiance, condition nécessaire à toute entreprise [...]. Seul le retour au droit commun, à la liberté des conventions, à l'inviolabilité de la propriété, si ce n'est pour l'expropriation pour cause d'utilité publique et après paiement d'une juste et préalable indemnité ; seule la restauration de ces principes tutélaires institués par nos codes, et qui ont fait la prospérité de la propriété et assuré la richesse de la France, pourront mettre fin à la crise de la construction et à celle du logement. » Passons sur la mauvaise foi évidente, mais insistons cependant sur la fausseté des arguments économiques avancés : la guerre de 1914-1918 a été l'occasion pour nombre d'industriels d'accumuler, grâce à l'économie de guerre, des fortunes gigantesques ; la loi des huit heures votée dès 1920 n'est pratiquement jamais appliquée ; enfin, l'industrie connaît une nouvelle vague de concentrations, symbole du dynamisme capitaliste. Mais c'est surtout contre l'augmentation de 1 % de l'impôt foncier sur les propriétés bâties que s'élèvent les protestations des propriétaires. Tout cela démontre avec clarté que la contradiction entre capital industriel et capital foncier et immobilier est en train de se résoudre au bénéfice du premier. Il a, cependant, besoin de l'appui politique du second. Aussi toutes les décisions seront prises au nom du respect et de la défense de la propriété, contre les risques que représente une classe ouvrière qui deviendra réellement dangereuse si on ne lui donne pas satisfaction au moins sur certains points. C'est donc pour protéger la bourgeoisie contre les « partageux » que le capitalisme foncier cédera du terrain au capitalisme industriel.

Le tout jeune parti communiste diffuse ses analyses du problème du logement en évoquant les solutions adoptées par le régime soviétique. Cependant, il se lance dans un processus de gestion municipale qui lui vaut un désaveu de la III᷄ Internationale. La gestion municipale du P. C. F. est née en cette période où apparaît ce qui va devenir les « banlieues rouges ». Au moment du vote de la loi Loucheur, en 1923 le texte est bien loin du projet de départ (200 000 logements seulement) ; le parti communiste déclare alors par l'intermédiaire d'un de ses représentants : « Nous avons toujours demandé qu'on construise des maisons. N'en construirait-on qu'une seule, le groupe communiste votera le projet pour ne pas vous gêner. La solution que vous apportez est détestable. Nous voterons néanmoins votre projet en indiquant que nous n'avons aucune confiance dans la façon dont vous allez le réaliser parce que ce n'est pas la sollicitude pour les locataires qui vous guide, mais votre sollicitude pour ceux qui vont bénéficier de cette loi, pour la propriété immobilière, qui va profiter de votre projet pour augmenter les loyers, et votre sollicitude envers ceux qui sont à l'affût d'affaires fructueuses [15]. » Et, en effet, le capital financier et le capital industriel profitent de ces investissements en grande partie aidés par l'Etat.

La crise mondiale, exportée par les Etats-Unis à partir de 1929, va frapper de plein fouet dès 1931 l'économie française. Celle-ci va connaître sa troisième crise structurelle, de loin la plus sévère. C'est une crise de surproduction générale dont les éléments sont apparus dès 1925 aux Etats-Unis.

En Europe, les effets en ont été retardés par une stimulation artificielle de la consommation ou, comme en France, par l'importance des besoins à satisfaire nés de la reconstruction. Les liens étroits entre tous les pays capitalistes depuis la guerre, s'ils rendent le capitalisme international, ont en conséquence internationalisé la crise. La montée du chômage atteint des sommets jusque-là jamais atteints : on passe de 2 500 chômeurs secourus en 1930 à 500 000 en février 1935. En fait, les chômeurs réels sont encore plus nombreux puisqu'on peut estimer que 28 % des travailleurs sont sans emploi, et ceux qui continuent à être occupés ont, pour la plupart, subi une réduction du temps de travail :

---

15. Cité dans L. HOUDEVILLE, *op. cit.*, p. 86.

la durée hebdomadaire du temps de travail a diminué de 35 % [16].

Le fait nouveau dans cette crise est que le petit commerce et une grande partie des classes moyennes sont également durement touchés. Les conséquences en seront diverses : en Italie et en Allemagne, c'est avant tout sur ces classes que s'appuiera le fascisme. Cette montée du fascisme est inégale selon les pays, mais partout il sera présent à l'état larvé. Par ailleurs, le prolétariat français est peu combatif au début de la crise : la désunion syndicale antérieure, l'incertitude devant le chômage, tout cela diminue la combativité du mouvement ouvrier, et les effectifs syndicaux sont en forte baisse. Mais le péril fasciste, les crises politiques en 1934, l'incapacité des gouvernements devant la crise poussent à l'union. La constitution du Front populaire en vue des élections législatives de 1936, la réunification de la C. G. T. [17] affirment la volonté du mouvement ouvrier de ne pas subir la crise et de ne pas laisser le fascisme s'instaurer en France.

D'autre part, l'U. R. S. S. se développe sans avoir à faire face à la crise et montre ainsi qu'il existe des systèmes qui échappent à ces fluctuations dramatiques pour la classe ouvrière. Cet attrait exercé par l'U.R.S.S. entraîne un développement de la lutte des classes. Il pousse le prolétariat à envisager le système socialiste comme le seul remède possible à la crise.

Dans ce climat de dépression générale, on ne construit plus en France et la situation de l'habitat populaire est loin de s'améliorer. Certes, la crise du logement est en partie masquée par la crise démographique et la

---

16. Chiffres cités par AMBROSI, BALESTRE, TACEL, *Histoire et géographie économiques des grandes puissances à l'époque contemporaine.*

17. Elle est effective au congrès de Toulouse en mars 1936 : fusion de la C.G.T. de Jouhaux avec la C.G.T.U. de Frachon, entraînant en quelques mois un regain considérable du syndicalisme (un million d'adhérents en mars 1936, cinq millions en août).

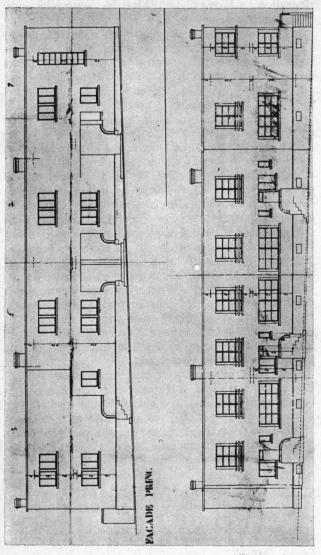

Cité-Jardin de Châtenay-Malabry. — Façades.
H. B. M. de la Seine, 1928.
(*In A.M.C.*, n° 35, décembre 1974.)

stagnation de la population. Mais les conséquences du retard antérieur, unique en France puisque l'effort de l'Angleterre ou de l'Allemagne est constant depuis 1919, sont douloureusement présentes. Malgré les effets de la loi Loucheur, la construction s'effondre à partir de 1933-34. L'indice de la production bâtiment (base 100 en 1913) passe de 82 en 1933 à 51 en octobre 1934. Parallèlement, le prix des matériaux accuse une hausse sensible, nettement plus importante que celle de l'indice général du coût de la vie.

Les loyers pèsent-ils moins sur le budget des familles ? Le logement n'intervient « en 1920 que pour 3,15 %, en 1930 pour 7,2 %, en 1935 pour 9,9 % et en 1938 pour 7 % [18] » dans les indices du coût de la vie. L'initiative privée construit peu. Nous avons expliqué pourquoi. Seule « l'importance du logement ouvrier construit par les employeurs pallie partiellement l'insuffisance du secteur public du logement social », puisque « 175 000 logements sont édifiés par les organismes H. B. M. (dont 100 000 par les offices publics), 120 000 avec l'aide des sociétés de crédit immobilier et environ 300 000 par les industriels pour le logement de leur personnel [19] ». Enfin il existe de nombreuses possibilités d'accession à la propriété, et le souci d'attacher le travailleur à sa maison et à son lopin de terre est une tactique de la classe bourgeoise.

C'est donc avec un problème du logement qui n'a jamais été réglé que la France entre en guerre. Les destructions ne le rendront que plus aigu en 1945. Le niveau de vie moyen n'a pas progressé entre 1914 et 1940. L'entre-deux-guerres est surtout une période de transition entre le capitalisme du XIXᵉ siècle et le capitalisme « moderne » qui naîtra de 1945. Mais cette

18. C. OLCHANSKI, *Le Logement des travailleurs français,* cité par L. HOUDEVILLE, *op. cit.* Il faut préciser que ces indices sont généraux : faibles pour les propriétaires, les frais du logement peuvent représenter 25 ou même 30 % du budget d'une famille ouvrière.

19. *Ibid.*

période s'achève avec la crise en toile de fond : crise économique, crise de la natalité rendant nécessaire une politique familiale nataliste, crise idéologique enfin. Celle-ci est peut-être le fait le plus marquant avec la montée de la lutte des classes.

## 1945-1960 : l'hégémonie capitaliste

Réponse ultime à la grande crise structurelle du capitalisme des années trente, la Seconde Guerre mondiale permet au mode de production capitaliste de « repartir sur de nouvelles bases », ou plutôt d'accroître considérablement les bases économiques de son développement. La destruction d'une grande partie des capitaux fixes (usines et machines) ainsi que des équipements (voies de communication...), jointe au réinvestissement des capitaux intérieurs et surtout extérieurs (plan Marshall, 1947), facilite la « relance de l'économie ». La poursuite de certaines guerres coloniales (Indochine pour la France, Corée pour les Etats-Unis) permet d'adoucir la rupture que constitue la reconversion de l'industrie de guerre. Quant au boom démographique de l'après-guerre, il sera le phénomène de fixation de nouveaux comportements de consommation.

Le grand capitalisme ne se montre pas tout de suite cependant. La classe ouvrière, elle, sort grandie de la Résistance. Les communistes, le parti des 70 000 fusillés, y ont joué un rôle capital. Les résultats des premières élections, qui annoncent la victoire des forces de gauche et font du parti communiste le premier parti de France, le démontrent. Le grand capitalisme a plutôt intérêt à rester discret. Son attitude résolument collaboratrice durant la guerre l'oblige à rester à l'écart dans un premier temps. Le cas de Louis Renault est le plus connu. Son usine est confisquée sans indemnisation. Mais cette attitude d'expectative sera vite abandonnée.

L'éclatement progressif des empires coloniaux et

l'accession à l'indépendance de nombreuses colonies provoquent dans un premier temps une baisse des taux de profit à la périphérie. Les capitaux s'investissent donc préférentiellement dans un marché intérieur en pleine expansion, d'autant plus que la régulation du marché mondial de capitaux et de matières premières facilite les approvisionnements. Il faudra attendre une nouvelle saturation des marchés intérieurs au début des années soixante pour que le capitalisme réinvestisse en périphérie, relançant une nouvelle forme de colonisation du tiers monde : l'échange inégal.

La concentration des grandes entreprises comme des capitaux financiers (banques, assurances) reprend de plus belle après la guerre. Encouragée par les gouvernements, elle prend un caractère de plus en plus monopoliste et international, surtout après la crise des années 1962-1963.

Le plan Marshall va jouer un rôle fondamental pour permettre cette concentration. Car l'Europe ruinée par la guerre est loin de s'être relevée. Il sert à financer les achats de l'Europe : autant de dollars lui sont donnés, autant d'achats peuvent s'effectuer aux Etats-Unis. Le profit économique contribue à freiner la récession de 1949. Mais le but politique est le plus important : au moment où commence la guerre froide, les Etats-Unis doivent s'assurer des atouts en Europe. La bourgeoisie française reprend le flambeau du pouvoir (victoire de la droite en 1952), mais le capitalisme industriel y perdra son indépendance au profit d'un capitalisme financier de plus en plus international, dominé par les Américains.

Cette période est également marquée en France par une accélération de l'intervention de l'Etat : nationalisations, début d'une planification mal acceptée par l'industrie et qui d' « incitative » deviendra simplement « indicative ». Les plans se succéderont ainsi, sans cesse réajustés, sans jamais être réalisés, à l'image d'un pouvoir politique « coincé » entre les intérêts de la classe dominante qu'il défend et les revendications de plus en plus globales de la population ou de certaines catégories sociales dont le capitalisme cherche à s'approprier l'activité (commerçants et artisans, agriculteurs).

Les crises du XIX⁰ siècle et de la première moitié du XX⁰ siècle ont montré les limites d'un capitalisme sans cesse confronté à la saturation progressive de ses marchés, secteur par secteur. Pour poursuivre son expansion, il lui faut non seulement prendre en charge l'ensemble des activités économiques et des marchés de consommation, mais encore en créer de nouveaux. Le travailleur n'est plus seulement « pris en charge » (lire : exploité) dans son activité de travail, il le devient dans l'ensemble de ses activités (santé, loisirs, vêtements, logement...) au fur et à mesure qu'elles deviennent activités de consommation intégrées à la sphère capitaliste. Le développement du crédit, la publicité, l'inflation même assurent cette extension des marchés qui se veut permanente, cette course en avant de la production capitaliste. La croissance démographique et l'immigration intensive favorisent cette expansion euphorique.

Peu à peu le mode de production capitaliste s'étend à toutes les activités. L'agriculture d'abord : l'importance du secteur primaire s'effondre, et les agriculteurs sont souvent pratiquement dépendants de l'industrie agro-alimentaire. Sous le terme de « modernisation du secteur de distribution », on tente de liquider le petit commerce ; on ne va plus à l'épicerie, mais à l'hypermarché. La diminution du temps de travail permet au capitalisme de « construire » une industrie nouvelle particulièrement florissante : celle des loisirs. Cette « société de consommation » est la tentative ultime pour étendre la sphère capitaliste à toute les activités.

Sur le plan politique, avec la « liquidation » de la IV⁰ République et des forces de gauche dont la Résistance avait accru l'influence, l'avènement de la V⁰ République fournit un cadre efficace à cette « relève » du capitalisme français. L'idéologie gaulliste permettra pendant de longues années d'étouffer tant les luttes des travailleurs que les sursauts des couches sociales issues des modes de production antérieurs au capitalisme. Mais son échec sera à la mesure de ses contradictions.

Si les nécessités de la restructuration économique aboutissent à cette « société de consommation », la politique de reconstruction amènera celle des grands ensembles.

A un déficit quantitatif d'environ 70 000 logements s'ajoutent après la guerre 452 000 immeubles totalement détruits, 1 436 000 endommagés, soit environ un cinquième du patrimoine existant en 1939 à reconstituer. Mais aucune organisation politique ne semble consciente de la gravité du problème, les questions de reconstruction économique et de réformes constitutionnelles dominant les débats. Seule sous Vichy, l'Organisation civile et militaire propose en 1943 un important programme concernant le logement, prônant la nécessité d'une réflexion et d'une planification urbaine dont la réalisation pratique serait confiée à des « organisations capables de la réaliser, pourvues des moyens techniques et financiers nécessaires et appuyées par une législation appropriée ». Cet urbanisme, régi par la « charte d'Athènes », s'accompagnerait de mesures propres au logement : régularisation des loyers par leur relèvement, « une partie importante des plus-values ainsi dégagées » étant prélevée « pour alimenter une caisse destinée à financer la construction de maisons neuves » ; aides à la propriété familiale ; contrôle de la construction par l'action de sociétés pour le logement (S. P. L.) remplaçant les H. B. M. et par l'emploi de « matériaux normalisés [20] ».

Après la Libération, les propositions des partis de gauche et des syndicats sont peu nombreuses et proches dans leur nature de celles de l'O. C. M. L'accent est souvent mis sur la réorganisation des industries du bâtiment et sur la normalisation des matériaux comme des méthodes. Le thème du « logement industrialisé »

---

20. Cf. L. HOUDEVILLE, *op. cit.*

revient ainsi à gauche comme à droite et annonce la politique de « grands ensembles ».

D'autre part, le gouvernement fixe les normes de surface des H. L. M. [21] créés en 1949, met en place un système de primes à la construction et de prêts spéciaux du Crédit foncier de France. C'est le début d'une politique d' « aide à la pierre » qui marquera ensuite la V° République et ouvre la voie à une réorganisation de la production du logement. Le financement de la construction n'est plus assuré par le propriétaire foncier (qui se contente d'empocher sous forme de rente foncière la plus-value réalisée sur son terrain), mais par l'industriel constructeur, et de plus en plus par des capitaux financiers indépendants tant du propriétaire foncier initial que du constructeur.

La construction, aidée financièrement par l'Etat, bénéficie en outre d'une phase d'expansion de l'économie capitaliste et de la disponibilité croissante des capitaux intérieurs. Elle connaît donc, en ces premières années de l'après-guerre, une certaine « relance ». Mais deux faits essentiels prolongent la crise du logement. D'une part, l'afflux de ruraux vers les villes se poursuit, la masse paysanne restant trop importante ; la prise en charge de l'agriculture par le capitalisme n'est pas encore totale et le plan Vedel tentera de l'accélérer. D'autre part, le morcellement de la propriété foncière, refuge de la petite et moyenne bourgeoisie et séquelle de l' « ère des rentiers », empêche l'Etat et le capital de prendre radicalement en charge l'urbanisation. Ce sont autant d'obstacles à abattre, et les hausses importantes de la rente foncière urbaine à la fin des années cinquante rendront cette « liquidation » encore plus urgente.

Les derniers gouvernements de la IV° République prennent pourtant un certain nombre de mesures qui préparent le terrain à l'irruption du capital d'affaires dans la production du logement :

21. 3 pièces : 59 m² ; 4 pièces : 73 m² ; 5 pièces : 82 m².

En 1953, c'est le plan Courant (du nom de son rédacteur). L'accent est mis sur la propriété : « La possession de sa propre maison est une garantie de bon entretien. Elle porte en elle une sécurité dont il est souhaitable que puisse jouir un plus grand nombre », ainsi que sur l'industrialisation de la construction et la normalisation des matériaux. Différentes mesures financières et administratives sont proposées, notamment un droit d'expropriation pour les terrains destinés à la construction, l'investissement obligatoire de 1 % du montant des salaires par les entreprises et une nouvelle hausse des loyers. Députés et sénateurs amputeront sérieusement le texte, mais l'essentiel demeure. D'autres réformes suivent (primes, bonifications d'intérêts, prêts), mais elles ne sont pas liées à la surface habitable et les promoteurs prennent vite l'habitude de construire au minimum de la norme. En 1953 également sont créés les logécos (logements économiques et familiaux), type de construction qui jouera un grand rôle dans l'essor de la construction en France. (1 million de logécos réalisés de 1953 à 1963.)

En 1954, les pouvoirs spéciaux dont dispose Pierre Mendès-France lui permettent d'établir par décret un texte réglementant la construction privée en précisant les obligations des promoteurs et le fonctionnement des sociétés civiles immobilières. Il lance également un programme ambitieux que la loi-cadre de 1957 reprendra en partie. La même année est créée la S. C. I. C. (Société centrale immobilière de la Caisse des dépôts).

En 1957, le Front républicain fait voter la « loi-cadre construction » : « Loi d'urbanisme mais aussi loi financière, elle englobait la construction de logements mais aussi la réalisation simultanée d'équipements collectifs. La loi instituait des programmes financiers pluriannuels. Les H. L. M. faisaient l'objet d'un programme quinquennal [...]. Des mesures foncières étaient préconisées, notamment pour aboutir à l'unicité des règles relatives à l'expropriation d'utilité publique. La loi envisageait également le relèvement de l'allocation spéciale pour les personnes âgées et les familles peu

fortunées, le relèvement du plafond de l'épargne-crédit et l'allègement des formalités des prêts hypothécaires [22]. »
Si aucune de ces mesures ne fut suivie de décret d'application, il n'en est pas de même pour le deuxième volet de la loi-cadre qui sera mis en place par la V<sup>e</sup> République (de manière détournée il est vrai : la technocratisation centralisée remplacera l'appel à la démocratie locale). Ce deuxième volet concerne la recommandation faite au gouvernement de déposer des projets de lois « tendant à réformer la loi municipale et la loi départementale, ainsi que les textes législatifs fixant les statuts de la ville de Paris et du département de la Seine ». La loi-cadre pose enfin le principe de la création des Z. U. P. (zones à urbaniser en priorité), création qui sera effective en 1958.

En 1958, le déficit dont hérite la V<sup>e</sup> République est d'environ 4 millions de logements, sans compter les logements insalubres ou surpeuplés dont Gilbert Mathieu dressait en 1958 un tableau considérablement lourd. Il y analysait la répartition des victimes de cette crise persistante du logement : « Trois groupes sont particulièrement touchés. Les milieux populaires : 24 % des manœuvres, 23 % des O. S. et des salariés agricoles, 13 % des employés habitent des appartements en état de surpeuplement critique. Ce pourcentage tombe à 8 % pour les cadres moyens, à 5 % pour les cadres supérieurs et les membres de professions libérales, à 4 % pour les industriels [...]. Les jeunes ménages : un sur trois n'a pas de " chez soi " [23]. » Quant aux H. L. M. Gilbert Mathieu montre qu'elles ont surtout profité... aux cadres supérieurs, professions libérales et cadres moyens (représentant 16 % de la population non agricole et 23 % des locataires de H. L. M. en 1958) à qui elles ne sont pas théoriquement destinées.
E. Préteceille résume bien les grandes tendances de

22. L. HOUDEVILLE, op. cit., p. 117.
23. G. MATHIEU, « Logement notre honte », Le Monde, du 11 au 19 avril 1958.

la politique du logement suivie à cette époque : « Cette politique est caractérisée par l' " aide à la pierre " et une certaine diversification des modes de financement public [...]. D'une aide orientée vers la fourniture d'une valeur d'usage visant à abaisser d'une façon générale le coût de reproduction de la force de travail, on passe à une aide à caractère sélectif qui permet au capital privé de se valoriser comme capital de circulation dans l'immobilier. L'élévation relative du coût de reproduction de la force de travail qui peut en résulter est refoulée vers les salaires : on passe donc à un financement de l'accumulation plus direct, dont le caractère sélectif est important puisqu'il va permettre une concentration de l'aide vers les fractions monopolistes du capital immobilier [24]. »

Cette évolution est porteuse de deux faits importants : d'une part, l'irruption du capital financier dans la promotion immobilière, qui s'accentue au fur et à mesure de la décolonisation (« libération » des capitaux immobilisés dans les colonies, puis rapatriés et réinvestis en France) ; d'autre part, une « victoire » partielle du capital financier sur le capital industriel. Si l'intérêt du second réside au premier degré dans une limitation du prix des logements pour éviter un accroissement des revendications salariales des travailleurs celui du second réside dans une production au plus bas prix et dans une vente ou une location des logements au plus haut prix possible. Ce type de contradiction n'est pas propre au logement et révèle une dynamique de déplacement des profits du capital industriel vers le capital financier qui devient de plus en plus le structurant de l'activité économique. Nous reviendrons sur ce problème à propos des grands ensembles.

24. E. PRÉTECEILLE, *La Production des grands ensembles*, Mouton, Paris, p. 20.

# 2. Division de l'espace urbain et idéologie dominante (1815-1954)

*1815 : la naissance d'un problème*

Emergeant de sa coupure institutionnelle avec le féodalisme et ayant enfin remis au pas les couches populaires à travers l'Empire, la nouvelle bourgeoisie s'installe enfin au pouvoir. Ce pouvoir ne cessera de lui être contesté dans les luttes du peuple et il lui faudra longtemps pour liquider les intérêts contradictoires du passé féodal : propriété foncière et autonomie de la classe paysanne acquise pendant la Révolution.

1815 : la bourgeoisie et ses entrepreneurs, l'appareil de l'Etat capitaliste et les capitaines d'industrie cherchent à utiliser la force de travail des couches populaires au maximum, avec impatience et brutalité, et sans aucun souci des conditions de reproduction de la force de travail de nouveaux prolétaires. Cette nouvelle classe de capitalistes s'est en effet formée sous la domination féodale au grand commerce international de l'esclavage, et la préhistoire des modes de gestion capitalistes a eu lieu depuis longtemps, de la Guadeloupe à Cuba, de la Louisiane à la Pennsylvanie.

1914 : depuis deux ans, une loi permet aux communes et départements l'aide aux sociétés d'habitations à bon marché, créées en 1906.

La bourgeoisie a une tactique, des moyens, des idées, des gestionnaires et des techniciens. Elle a pris en main le problème du logement de la classe qu'elle opprime. En un siècle, à travers de nombreuses expériences, elle a appris à contrôler ce problème.

Comment, en un siècle, est-on passé d'une production d'habitat ouvrier nulle à l'un des secteurs les plus importants de l'activité nationale ? Comment est-on passé d'un inintérêt total des entrepreneurs capitalistes à un souci municipal consacré ?

## I. L'ère des capitaines d'industrie (1815-1914)

En 1815 naît la classe ouvrière française. Elle émerge des artisans d'une part et des travailleurs à domicile des campagnes d'autre part. Ce phénomène est très important car il conditionne grandement l'inscription dans l'espace de la naissance des rapports de production capitalistes.

Les premières manufactures regroupent les ouvriers dans un même lieu en y concentrant les machines ; c'est là que s'opère une des cassures principales dans le mode de vie de la classe dominée : lieu de travail et lieu d'habitation se séparent fondamentalement. C'est en partie à cause de ce phénomène, et de la déchirure qu'il provoque, qu'une grande partie des premiers prolétaires sont des vagabonds, des sans-emplois... des marginaux. Ce n'est que lorsque la libre concurrence aura ruiné son commerce que l'artisan acceptera de rejoindre la manufacture ou l'usine ; ce n'est que lorsque les capitaines d'industrie auront coupé les vivres aux travailleurs à domicile que ceux-ci quitteront leur lopin de terre pour rejoindre la masse des déracinés des villes. C'est, en effet, dans les villes ou à leurs abords immédiats que s'installent les manufactures puis les usines (facilités de transports des produits, structure petite-marchande des villes déjà en place tout au long de la période féodale).

H. Sée résume ainsi la situation spécifiquement française en 1810 : « Etant donné que l'industrie artisanale l'emporte de loin, on ne se trouve pas encore,

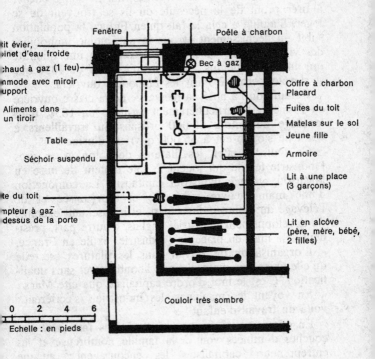

Fenêtre

Poêle à charbon

Petit évier,
robinet d'eau froide

Bec à gaz

Réchaud à gaz (1 feu)

Commode avec miroir
support

Coffre à charbon
Placard

Aliments dans
un tiroir

Fuites du toit

Matelas sur le sol

Table

Jeune fille

Séchoir suspendu

Armoire

Lit à une place
(3 garçons)

Fuite du toit

Compteur à gaz
au-dessus de la porte

Lit en alcôve
(père, mère, bébé,
2 filles)

Couloir très sombre

0  2  4  6
Echelle : en pieds

*Glasgow : une habitation surpeuplée (neuf pwersonnes)
dont le plan a pu être relevé en 1848*
(Journal of the Royal Institute of British Architects).
*La fenêtre a 1 m de large et 1,75 m de hauteur ; la table 1,10 × 0,60 m.*
(in BENEVELO, *Aux sources de l'urbanisme moderne*, Horizons de France.)

à l'exception de *Paris et de quelques grandes villes*, devant des masses compactes d'ouvriers [1]. »

Cette nouvelle classe dominée vient investir l'habitat ancien et s'y entasse aux limites de l'absurde. Nul ne songe encore à la nécessité de contrôler dans leurs logements ces nouveaux déracinés, nul ne songe encore à tirer profit de la nécessité où ils se trouvent de se loger. S'ajoute à cela le fait qu'en France la population subit un fléchissement et que le patrimoine immobilier des villes, vétuste et surpeuplé, constitue une quantité qui durera longtemps. Ce n'est qu'à partir de 1836 que se développeront à Paris les faubourgs ouvriers.

Comme on l'a noté, la naissance de la classe ouvrière en France est particulièrement tardive : en 1830, dans le filage du coton, 80 000 artisans ou travailleurs à domicile s'opposent à 55 000 ouvriers d'usine [2].

Ce sont, en effet, les filatures de coton et en gros l'industrie textile qui jouent le rôle moteur de mise en place du système industriel capitaliste. La conjonction d'une main-d'œuvre miséreuse et inorganisée et de l'élevage du mouton, d'une part, et le fascinant exemple du développement industriel anglais, d'autre part, président à la mise en place de l'industrie textile en France.

L'organisation du travail dans les filatures est telle qu'elle exige une main-d'œuvre abondante et sans qualification. C'est le mot d'ordre capitaliste que cite Marx : « En voyant les machines, les industriels s'écrièrent : voilà un travail d'enfant ! »

En effet, à cette époque les traditions familiales des couches dominées vont à la famille nombreuse et les entrepreneurs capitalistes les encouragent : aucune pression sociale ne les a encore forcés à développer le coût de la reproduction de la force de travail intégrée dans les salaires. En ce qui concerne le logement : peu de profit à faire d'autant que les loyers ne peuvent varier que dans des limites très étroites pour rester compatibles avec le minimum servant à la subsistance des ouvriers.

1. H. Sée, *Franzosische Wirtschaftsgeschichte*, 1936.
2. Cf. Kuczynski, *Les Origines de la classe ouvrière*.

Comme le montre une communication du gouvernement de Berlin vers 1819, et à ce titre peu susceptible de parti pris ouvrier : « Ils [les propriétaires d'usines] sont fermement persuadés que le salut de l'Etat entier dépend de la marche de leurs usines, et que rien ne peut lui arriver de pire que d'en voir ralentir le moindre atelier ou d'en voir sortir moins de marchandises ou à un prix un peu plus élevé. Ils se sont habitués à considérer leurs subordonnés ouvriers et enfants comme des accessoires accidentels des machines auxquels il suffit de posséder assez d'esprit pour que le corps ne paresse point et que les mains se meuvent utilement [3]. »

Les entrepreneurs capitalistes négligent totalement les nécessités de la reproduction de la force de travail et continueront de la négliger autant que cela pourra fonctionner sans gêne. Or, bientôt, le surpeuplement de l'habitat ancien induira une situation intenable pour la bourgeoisie : les concentrations de populations ouvrières, dangereuses et malsaines. On accentuera sur le malsain, on le présentera comme seul dangereux et l'on camouflera le danger politique derrière un paternalisme hygiéniste.

Le XIXᵉ siècle est, en effet, le siècle de la découverte des microbes et du pouvoir des hygiénistes. La terreur provoquée par l'épidémie de choléra de 1849 amènera, en 1850, la loi sur les logements insalubres qui permettra l'expropriation des taudis. C'est dans les conditions d'habitat de la classe dominée au début de la période que le courant hygiéniste va puiser toute sa sève.

Ces conditions d'habitat ressemblent fort dans les grandes villes à la description qu'Engels donne de Londres et Manchester en 1845, et il faut noter à ce propos, comme le fait Benevolo, qu'il est cependant

3. *Ibid.*, rapport au président Heydebeck sur « propositions pour l'amélioration de la situation des ouvriers d'usine » du 1ᵉʳ juin 1819, Deutsche Zentralarchive Mersburg.

probable que les maisons occupées par les familles ouvrières dans les villes ne sont pas pires, comparées cas par cas, que celles de la campagne d'où viennent la plupart de ces familles : les pièces sont moins grandes, mais sans l'encombrement et la poussière des métiers à filer autrefois utilisés à domicile.

« Dans la ville vieille, les rues, même les meilleures, sont étroites et tortueuses [...], les maisons sales, vieilles et croulantes, et la construction des rues latérales absolument abominable. Lorsque, venant de la vieille église, on entre dans Long Millgate, on a tout de suite à sa droite une rangée de maisons à la vieille mode, où il n'y a pas un mur de façade qui soit resté vertical ; ce sont les restes du vieux Manchester d'avant l'industrie, dont les anciens habitants ont, avec leur postérité, émigré dans des quartiers mieux construits, abandonnant les maisons trop mauvaises pour eux à une race de travailleurs fortement mélangée de sang irlandais. On est ici véritablement dans un quartier presque aéré, car même les boutiques et cabarets de la rue ne se donnent pas la peine de paraître un peu propres. Mais tout cela n'est encore rien en comparaison des ruelles et des cours qui s'étendent derrière et auxquelles on ne parvient que par des passages étroits et couverts, où deux hommes ne peuvent passer de front. Et la faute n'en est pas seulement aux vieux bâtiments légués par l'ancien Manchester ; c'est à l'époque moderne que la confusion a été portée à l'extrême par le fait que, partout où tout le système constructif de l'âge précédent avait laissé encore une bribe d'espace, on a plus tard rajouté et rabouté des constructions, jusqu'à ce qu'enfin il ne soit plus resté entre les maisons un pouce de terrain où l'on eût pu bâtir encore [4]... »

Deux phénomènes conjoints vont bouleverser le paysage tant en Angleterre qu'en France : en Angle-

---

4. F. ENGELS, *La Situation de la classe laborieuse en Angleterre,* Ed. sociales, Paris, p. 87-88.

terre, le massacre de Peterloo en 1815 et les épidémies des années 1820 ; en France, la révolte des canuts de Lyon en 1831-1834 et les épidémies de choléra particulièrement subies à Paris en 1832 et 1849.

La bourgeoisie a peur de sa mort : de sa mort physique avec le choléra et de sa mort sociale avec la montée des luttes ouvrières.

En 1831, les 9 000 canuts de la Croix-Rousse occupent Lyon pendant plusieurs jours et utilisent pour l'investir les particularités du tissu ancien de la ville : les traboules, réseau impénétrable de passages qui double celui des rues. Il faudra les 26 000 hommes du maréchal Soult pour les en déloger... et pour lui on baptisera un boulevard ! Mais cette lutte n'est pas isolée : les émeutes des ouvriers parisiens en juin 1832 et avril 1834, la seconde insurrection des canuts la même année, les troubles de Lille, Clermont, Toulouse en 1840 signalent à la bourgeoisie l'absolue nécessité de contrôler les masses laborieuses et leur espace.

L'amalgame est rapide entre le choléra et le socialisme qui est déjà apparu comme mot d'ordre des masses en lutte.

Nos hygiénistes sont prêts : depuis 1802 avec la fondation des conseils de salubrité, les médecins ont acquis un pouvoir administratif ; depuis 1829 avec la publication des *Annales d'hygiène publique et de la médecine légale,* ils ont restructuré la nouvelle idéologie de l'hygiénisme qui veut que la santé physique et la santé morale soient à jamais indissociables. Tout au long de la période, ils publièrent, comme Villermé dans le Nord et l'Est, Guépin à Nantes, des rapports sur l'influence de l'espace et du logement sur la santé physico-morale de la classe ouvrière, dénonçant solidairement l'insalubrité des logements et l'insalubrité des mœurs.

« Lorsque l'enjeu architectural se double *d'un enjeu social,* qui s'exprime par des normes éthiques, l'hygiéniste-architecte recourt à l'hygiène morale qui doit régler la vie des habitants en fonction de ce que l'idéologie sociale implique comme relations d'ordre moral [5]. »

En l'occurrence, quand Villermé, membre de l'Académie de médecine et de l'Académie des sciences morales et politiques, publie son projet « sur les cités ouvrières » dans les *Annales d'hygiène publique* en 1830, il s'agit pour lui d'inscrire dans l'habitat les normes de l'ordre sexuel, social et politique et d'en assurer l'exercice dans l'espace intime de l'hygiène privée, d'où la nécessité d'une architecture adéquate. Cet idéal que Villermé tentera de réaliser dans son plan de cité ouvrière à Ixelles près de Bruxelles, il le perçoit à Mulhouse dans la cité ouvrière construite en 1835-1836 par l'industriel André Koechlin sur les plans d'Emile Muller.

## 1840 : première réponse, les cités ouvrières

Si la bourgeoisie s'intéresse pour la première fois au logement de la classe qu'elle exploite et domine et si ses valets, médecins hygiénistes et architectes, commencent à se mettre à l'œuvre, la page n'en est pas pour autant vierge. Le courant utopiste, avec Fourier et Owen, a été prolixe sur l'aménagement de l'espace : phalanstères, familistères, nouvelles colonies, villes idéales ont été conçus, dessinés, voire même construits (Les Salines de Chaux, New Harmony) et mis en fonctionnement. Un des exemples les plus achevés de cette tendance prendra naissance en 1870-1871 avec le familistère de Godin, à Guise.

Les utopistes préconisent, en réponse à la socialisation de la production, la socialisation de la sphère de la reproduction, et cela jusque dans ses fondements puisque Fourier décrit avec précision les nouvelles pratiques des relations sexuelles dans son ordre amoureux vers 1830. La réponse populiste-utopiste (voir présocialiste) au problème est dans l'habitat ouvrier, collectif et collectivisé jusque dans ses moindres détails.

_____

5. In *La Politique de l'espace parisien à la fin de l'Ancien Régime*, Corda, 1975. Daniel FRIEDMANN, « L'Hygiène publique et l'espace urbain ».

Cette socialisation-là, image d'une possible autonomie de la classe ouvrière sur le plan idéologique, voire économique, est le miroir inverse contre lequel la bourgeoisie va construire ses idées en ce qui concerne le logement de la classe dominée : contre le choléra socialiste, la propriété privée ouvrière !

Il y a là la naissance d'un phénomène dont le capitalisme va se servir pendant longtemps, usant des pavillonnaires, des maisons-castors, des chalandonnettes aux « maisons Phénix », au nom de la sacro-sainte inclination des classes populaires françaises à la petite propriété.

Si l'habitat rural était composé d'habitations unitaires, il était collectif dans la mesure où il était celui de la famille élargie aux ascendants, aux familles monogamiques des frères, etc., et regroupait une unité de production. Le surpeuplement et la promiscuité des logements de la classe dominée dans les villes anciennes était tout l'inverse de l'habitat monofamilial. La bourgeoisie va donc construire la réalité de la famille ouvrière, sa morale, son espace, à sa propre image et avec la même hypocrisie. La classe dominante va créer la famille ouvrière à sa propre image comme Dieu créa l'homme à son image : la même forme vidée du contenu du pouvoir.

Si les capitaines d'industrie, en mettant en place leurs cités ouvrières, favorisent une famille réduite, c'est que les luttes menées par la classe dominée à travers les enquêtes parlementaires ont abouti à un appareil législatif et réglementaire (loi Guizot de 1841 en France) sur le travail des enfants qui, s'il n'est pas encore appliqué, est néanmoins un frein à l'achat de la force de travail par familles entières. Les capitaines d'industrie n'ont plus intérêt à ce que les familles ouvrières soient très nombreuses, d'autant plus s'ils s'occupent de les loger. En revanche, les travailleurs célibataires leur posent problème : « Il faut séparer en corps de logis différents célibataires et familles », et il vaut mieux éviter les cités pour célibataires car « les prix modérés leur permettent, vu qu'ils n'ont pas de famille, de

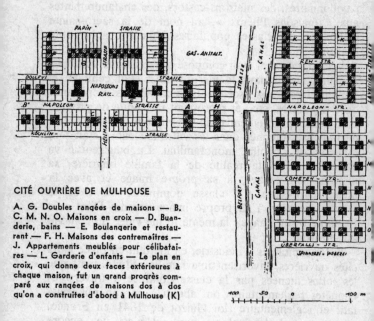

**CITÉ OUVRIÈRE DE MULHOUSE**

A. G. Doubles rangées de maisons — B. C. M. N. O. Maisons en croix — D. Buanderie, bains — E. Boulangerie et restaurant — F. H. Maisons des contremaîtres — J. Appartements meublés pour célibataires — L. Garderie d'enfants — Le plan en croix, qui donne deux faces extérieures à chaque maison, fut un grand progrès comparé aux rangées de maisons dos à dos qu'on a construites d'abord à Mulhouse (K)

In *Architecture d'aujourd'hui*, n° 6, juin 1935.

s'adonner à la débauche » et leur présence contribue
« à perturber le lien sexuel réservé à la cellule familiale », « surtout quand des ouvriers célibataires n'épient
que trop souvent les occasions d'affaiblir les principes
moraux des jeunes femmes habitant le même corps de
logis [6] ».

Tout le problème de la libre rencontre et de la
communication sociale interne au prolétariat est un
cauchemar pour nos idéologues. Ainsi Villermé écrit,
lorsqu'il fait la critique de la cité de la rue Rochechouart :

« ... pour ne point favoriser ces conversations sans
mesure et toujours indiscrètes qui ont si souvent lieu
entre portes, entre voisins. On sait que ces conversations les détournent des soins du ménage et créent
des guerres, des querelles, des inimitiés, des habitudes
de paresse ! »

« Comment prévenir ces fâcheuses rencontres d'un
grand nombre d'individus montant et descendant chaque
jour le même escalier, parcourant les mêmes corridors
ou bien s'apercevant à la porte des cabinets malheureusement communs [...]. Les précautions les plus nécessaires à la décence que l'on s'accoutume à ne plus
observer [...]. Il ne faut donc de cité ouvrière que
pour familles dans des conditions de salubrité et d'isolement compatibles avec leur position d'ouvriers et de
personnes mariées, honnêtes, laborieuses, qui élèvent
leurs enfants dans les principes de la religion et de la
morale et, en particulier, leurs filles dans la modestie
et la retenue [7]. »

Se construit ensuite la nécessité récurrente de la
maison individuelle car :

« Tout en reconnaissant combien il serait à désirer
que les ouvriers eussent tous des habitations salubres,
commodes et peu coûteuses, il ne faudrait pas en
rassembler des multitudes dans des sortes de grandes

---

6. *Ibid.*, p. 296.
7. VILLERMÉ, « Rapport sur les cités ouvrières », *Annales
d'hygiène publique et de la médecine légale,* 1850.

casernes [allusion aux phalanstères !] où les mauvais exercent constamment une mauvaise influence sur les bons [...]. Dans les mêmes maisons, on ne ferait qu'exciter leurs folies socialistes s'ils en sont atteints et fortifier leurs mauvais penchants en les mettant en commun [8]. »

Et comme l'explicitera Emile Muller, l'architecte de Mulhouse : « La propriété et la vie de famille sont les deux instruments de moralisation les plus actifs qu'il y ait au monde [9]... »

« Faisons en sorte que l'ouvrier puisse, par un effort personnel suffisamment prolongé, arriver à la propriété d'une petite maison pour lui, sa femme et ses enfants : la séduction du cabaret [perçu ici comme symbole de la vie sociale] perdra bien vite ses prises sur cet homme que retiendra le plaisir de se sentir chez lui, d'aménager, de réparer, d'orner sa demeure, de cultiver son jardin s'il en a un [10]. »

Et il en aura un comme à Mulhouse ! L'enjeu de la petite propriété ouvrière est trop grand pour que la bourgeoisie néglige les détails.

« La possession de sa maison opère sur lui [l'ouvrier] une transformation complète. Avec une maisonnette et un jardin, on fait de l'ouvrier un chef de famille vraiment digne de ce nom, c'est-à-dire moral et prévoyant, *se sentant des racines* et ayant autorité sur les siens [...]. C'est bientôt la maison qui le « possède », elle le moralise, l'assied, le transforme [11]... »

Maintenant que l'organisation du travail capitaliste l'a déraciné, il s'agit bien de le replanter quelque part. Mulhouse est une ville lumière dont le développement s'accélère : elle passe de 10 000 habitants en 1812 à 36 000 en 1836, au moment où a lieu la première expérience française de cités ouvrières dont la construction s'étendra jusqu'en 1864. Une fois le

---

8. *Ibid.*
9. Emile MULLER, *Maisons ouvrières*, 1819.
10. *Ibid.*
11. E. CHEYSSON, dans *L'Economiste français*, 27 août 1881.

modèle rôdé et ses vertus sociales établies, les grands entrepreneurs vont en implanter partout où ils auront à faire face au problème. Leur localisation est liée au développement des houillères et des aciéries qui sera, à la suite de la crise structurelle des années 1840-1850, le terrain privilégié des constructions du capital : Anzin, Beaucourt (1877), Le Creusot (1878), Lille, etc.

Conjointement au type de la cité ouvrière établie en rase campagne près des nouveaux centres de production, un autre type d'habitat ouvrier se fait jour dans les villes anciennes. La bourgeoisie tend en effet à récupérer le centre des grandes villes qu'elle avait abandonné au surpeuplement ouvrier. Particulièrement exemplaire dans la capitale où les Trois Glorieuses, les barricades de 1848 et le choléra de 1849 renouvellent le scénario : la réponse haussmannienne est claire dans ses moindres détails. Il chasse du centre de Paris les classes populaires et construit l'espace du Second Empire. La classe bourgeoise s'installe dans le centre rénové (déjà !) et militairement contrôlé d'une part, et dans les nouveaux quartiers de l'ouest d'autre part. Naissent en même temps, et de par ce processus, de nouveaux quartiers ouvriers urbains.

Pendant la période précédente (1830-1851), comme le note Ariès : « Le peuplement du centre est suspendu comme s'il avait atteint son degré de saturation, les vieilles maisons des XVI${}^e$, XVII${}^e$ et XVIII${}^e$ siècles ont dû crever leurs toits, se pousser encore d'un ou deux étages. La plus haute mansarde, la plus misérable soupente est utilisée, jusqu'aux paliers d'escaliers où l'on couche la nuit [12] ! »

Il s'agit maintenant de mettre en place les objectifs définis par les hygiénistes. Dans les villes anciennes, la réponse ne sera pas la même que celle des cités ouvrières. Pour cela, deux raisons : d'une part, le terrain urbain est cher et souvent morcelé entre divers

12. P. Ariès, *Histoire de la population française*, Le Seuil, Paris, 1971.

propriétaires qui entendent bien profiter du développement urbain pour mieux percevoir leurs rentes ; d'autre part, la population ouvrière des villes comporte une proportion beaucoup plus grande de célibataires, ce qui est en partie dû à une immigration rurale sélective, et nous avons vu que cette couche pose un problème difficile à la bourgeoisie.

Vont donc apparaître dans les villes des types d'habitat nouveaux : les hôtels garnis, les foyers, les maisons « philanthropiques », en plus d'un habitat du type logement ouvrier, tel que la cité de la rue Rochechouart ou le nouveau quartier de l'avenue Daumesnil à Paris.

Là encore, l'expérience anglaise va être mise à profit : depuis vingt ans, les industriels ou les propriétaires fonciers ont construit les « Irish Towns » dans les centres de production de Londres ou Manchester. Quartiers ouvriers qui accueillent la nouvelle main-d'œuvre irlandaise.

En ce qui concerne le logement de la classe dominée dans les villes, le problème de son contrôle par la bourgeoisie, s'il est le même que dans le cas des cités ouvrières, suit un processus très différent. En effet, c'est de cette coupure capitaliste irrécupérable entre lieu de production et lieu de reproduction, qui avait été effectuée au début de la période par le déracinement des ouvriers à domicile, qu'il s'agit. Si cette coupure est réduite, la plaie apparemment cautérisée avec les cités ouvrières localisées près des nouveaux lieux de production reste en revanche ouverte dans les villes anciennes.

Si les cités ouvrières réactualisent le lien entre l'espace de la production et celui de la reproduction, c'est dans l'unique but d'étendre le contrôle déjà appliqué au premier sur le second ; et derrière l'apparent progrès des formes dans l'espace, le problème de l'usage autonome de son espace par la classe dominée ne fait que s'aggraver.

Dans les villes, en revanche, ce faux progrès n'est

pas accompli, et si la bourgeoisie entreprend d'y loger les travailleurs, c'est bien plus pour contrôler leur possible pouvoir sur la ville que pour contrôler l'usage de leur espace. Opérant un brutal changement, la ville se répartit en zones, la bourgeoisie va créer des ghettos. La rupture s'opère par rapport à la situation précédente telle que la décrit Ariès avant 1850 :

« La surpopulation ne permet aucune spécialisation sociale. Il n'y a pas de quartier populaire ni de quartier bourgeois, mais une même masse grouillante d'humanité où s'entassent pêle-mêle toutes les conditions. Un même immeuble abrite au fond d'une cour paisible et provinciale un hôtel aristocratique où l'on vit noblement et sur la façade bruyante et malpropre des boutiques obscures, des appartements loués par étages les uns bourgeoisement, les autres pauvrement, misérablement, souvent sous les toits dans les attiques [13]. »

La nouvelle ségrégation doit détruire cette situation, et comme P. Saddy le montre à propos de l'exemple de l'avenue Daumesnil : « Napoléon III, retenant les leçons de la révolution de 1848, va désamorcer le mécontentement populaire par des mesures plus paternalistes que véritablement sociales. Sur ses plans, il va faire construire par des entrepreneurs anglais des maisons ouvrières gérées par une coopérative, mais la classe ouvrière se méfie de ces initiatives et boude les " baraques de l'empereur " pour ouvriers munis de certificat de bonne conduite. »

Il est encore possible d'être ouvrier et de « mauvaise conduite » dans la structure complexe d'une grande ville comme Paris : dans ce cas, on habite les nouveaux faubourgs ouvriers.

Si, comme le montre l'étude d'Ariès sur les « populations parisiennes », l'amorce du phénomène de la ségrégation sociale de l'espace date de la fin du XVIIIᵉ siècle où le faubourg Saint-Germain abrite exclusivement la noblesse, puis plus tard le quartier

13. P. Ariès, *op. cit.*, p. 129.

de la Chaussée-d'Antin réservé au monde de la finance, se crée déjà faubourg Saint-Antoine et faubourg Saint-Marcel l'amorce de quartiers ouvriers ; amorce suscitée par l'implantation de la manufacture des papiers peints de Révillon au XVIIIe siècle et au quartier des Gobelins avec la célèbre manufacture. Un autre centre industriel s'installe dans les villages des futurs 18e, 19e et 20e arrondissements avec comme noyaux les installations de la Régie des poudres et salpêtres dès 1787.

C'est la radicalisation de ce mouvement qu'entreprend Haussmann en demandant l' « arrondissement » de ces territoires à Paris en 1860.

Une loi sur les logements insalubres, nécessaire aux grands travaux qui commenceront trois ans après, est votée en 1850. Haussmann, préfet en 1853, déloge du centre de Paris 350 000 habitants et aplanit les buttes Saint-Jacques, Saint-Roch et Chaillot, mais la Commune de 1871 saura montrer aux urbanistes qu'on n'aplanit pas les problèmes sociaux comme des talus, fussent-ils des collines.

On reconstruit le centre du Paris capitaliste et sa demi-couronne ouvrière : dix gares, vingt-cinq théâtres, deux cents kilomètres de façades bourgeoises pour les uns, et vingt mairies, quinze casernes de gendarmerie et quatre prisons pour les autres. Mais chacun aura son bois, comme le proclame Haussmann en 1861 : « La sollicitude impériale a fait de la magnifique promenade du bois de Vincennes le bois de Boulogne des ouvriers de nos faubourgs. »

Deux cents kilomètres de maisons bourgeoises ! Voilà du travail, voilà des œuvres pour les architectes de la bourgeoisie, mais voilà surtout naître un nouveau type d'habitat : la maison bourgeoise, l'immeuble haussmannien avec sa façade neutre et respectable et son confort nouveau.

Simultanément s'opère une « ouverture » des références du style architectural, déjà opérée à travers le néo-égyptien des conquêtes impériales et l'arrivée sur le marché des images coloniales (Exposition universelle de 1851). En ce qui concerne les édifices publics cons-

Les travaux d'Haussmann :
200 km de façade bourgeoise.
Ici, boulevard Sébastopol

truits dans la période, le catalogue historique se déploie : basiliques chrétiennes (Saint-Vincent-de-Paul), palais Renaissance (tribunal de commerce), thermes romains (gare d'Orsay), colonnes crétoises du premier métropolitain de Formigé !

Attention, c'est là qu'a lieu l'architecture, non pas dans les cités ouvrières : à Mulhouse, Emile Muller était un ingénieur ! Les architectes formés à l'idéologie de l'art issu de la période féodale vont en apprendre une nouvelle, celle du confort, idéologie bourgeoise par excellence. Les grands travaux de Haussmann commencent en 1853. En 1854, Otis invente l'ascenseur. La salle de bains fait son apparition. Mais la bourgeoisie ne vit pas seule, ses domestiques logeront sous les toits et travailleront dans des offices et cuisines repoussés au bout d'un long couloir.

Ce sont là les signes de la « révolution industrielle » appliquée au mode de vie bourgeois, mais un élément extrêmement important a fait son apparition dès 1830 : le chemin de fer, d'abord voué au transport des marchandises, puis au confort bourgeois (ligne de Paris-Saint-Germain-en-Laye), enfin au transport des hommes marchandises.

Le chemin de fer, dont les premiers essais remontent à 1837, va prendre la place du textile dans le rôle de secteur avancé de l'économie. La production d'acier nécessaire à sa mise en place stimule de nombreux secteurs industriels. Les acquisitions foncières pour dégager ses emprises stimulent les appareils financiers et les banques. D'autre part, la technologie du fer, nécessairement développée par la construction du chemin de fer, va trouver de nombreuses applications dans le cadre bâti : gares et passages couverts à Paris dès 1860. Mais les aspects rationaliste et moderniste de ces constructions les relèguent au titre d'architecture d'ingénieur pour les architectes en place, malgré l'utilisation qu'en fait Viollet-le-Duc dans ses projets. Il faudra attendre 1900, avec le Grand Palais, pour voir le fer acquérir ses lettres de noblesse. Comme Muller n'était qu'un ingénieur, son sujet — « les habitations ouvrières » — ne pouvait être qu'un sujet mineur. Eiffel n'est qu'un ingénieur, et son sujet — la tour de l'Exposition ou le pont de Garabit — n'est qu'une infrastructure à laquelle l'architecture ne porte pas intérêt, au contraire de l'Opéra de Garnier !

A l'approche des grandes agglomérations [14], la voie ferrée va créer des pôles de peuplement près des gares : c'est la naissance de la banlieue, et en retour la banlieue va provoquer l'ouverture de nouvelles gares.

La banlieue de 1870 à 1920, c'est le royaume du lotisseur. Petits et gros propriétaires, spéculateurs fonciers, découpent des terrains en lots et les vendent à tous ceux que presse la nécessité d'habiter au plus près de la grande ville. Aucune viabilisation des terrains, aucun travail d'assainissement n'est fait. La technique des aménageurs se réduit au bornage, bornage tellement serré qu'il leur arrive d'oublier les voies d'accès aux lots vendus ! C'est contre cet état de fait que le « déjà vieux » courant hygiéniste va reprendre du poil de la bête.

En 1895, Jules Siegfried lance l'initiative du Musée social, regroupement d'intérêts divers, pour faire œuvre de « paix sociale » et de « progrès ». J. Siegfried, à cette époque député maire du Havre, vient de Mulhouse où il a connu les cités ouvrières de Muller qui représentent pour lui la solution de la « question sociale » :

« Voulons-nous faire à la fois des gens heureux et de vrais conservateurs ? Voulons-nous combattre en même temps la misère et les erreurs socialistes ? Voulons-nous augmenter les garanties d'ordre, de moralité, de modération politique et sociale ? Créons des cités ouvrières [15] ! »

Le mouvement du Musée social, fondateur de l'Institut des sciences politiques, regroupe des républicains

14. « Ainsi, le long de la ligne P.L.M., la population des villes desservies par le chemin de fer double en cinquante ans à partir du Second Empire » (J.-P. RIOUX, *La Révolution industrielle 1780-1880*, Le Seuil, Paris, p. 151).

15. Cité par GUERRAND, *Les Origines du logement social en France*, Ed. ouvrières, Paris, p. 283.

opportunistes, des chefs orléanistes, des animateurs des mouvements catholiques sociaux, des dignitaires de l'Etat et des représentants des associations philanthropiques et des hygiénistes. Il constitue ce qu'Alain Cottereau appelle l' « establishment » réformiste.

Il y a, en effet, dans ce mouvement les mêmes composants que dans l'Etat ou le gouvernement, mais « au Musée social domine l'élément industriel, l'élément financier venant au second rang, et dans cette combinaison on se souciait beaucoup plus d'apaiser la classe ouvrière que de faire des concessions aux petits bourgeois [16]. »

Si, comme on l'a vu, c'est le patron d'industrie qui s'occupe le premier et pour ses propres intérêts de loger la classe dominée, les grands travaux des années 1850-1870 et l'agrandissement des zones urbaines ont eu pour effet d'amener propriétaires fonciers et banquiers à s'occuper du problème. Mais ils cherchent avant tout à rentabiliser leurs investissements : profits exprimés en rente foncière, intérêts bancaires et plus-values réalisées dans la construction. Ils en oublient quelquefois le rôle policier du logement ouvrier : soit en concentrant trop de célibataires dans des foyers, soit en favorisant la marée de bidonvilles pavillonnaires. Les intérêts des industriels sont de reprendre cela en main au nom de la « paix sociale » dans leurs usines.

Mais ce n'est qu'un rôle de transition, car peu à peu, une élite de notables municipaux et parlementaires seront leurs meilleurs outils pour la période suivante. C'est la bataille du métro de 1889 qui permet à ce nouveau mouvement de naître à travers le conseil municipal de Paris, puis le conseil général de la Seine.

La même année, l'Exposition universelle permet de dresser le catalogue des possibilités de logements de la classe dominée ; les maisons ouvrières y seront présentées. C'est le triomphe de Muller.

La même année encore se tient le congrès des habita-

16. Alain COTTEREAU, « Les Débuts de la planification urbaine à Paris », *Revue sociologique du travail*, Le Seuil, avril 1970, p. 372.

tions à bon marché. Le sénateur Dietz-Monin, président de la Société des habitations économiques d'Auteuil avait en effet demandé que le terme d'habitation à bon marché fût substitué à celui de cité ouvrière.

## II. L'ère municipale (1914-1945)

1914 : en un siècle, le problème du logement de la classe dominée a acquis ses lettres de noblesse. Le peuple dans ses luttes s'est organisé et a fait reconnaître certains de ses droits. La loi Guizot sur le travail des enfants est enfin rentrée dans les faits ; à l'usine, le travailleur n'est plus seul face à l'arbitraire du patron : les syndicats apparaissent. Dans le système de la production, le prolétariat a acquis droit de parole. En revanche, ses luttes les plus avancées ont montré à la bourgeoisie que, sur le plan de l'espace, il était coûteux et dangereux de laisser le peuple habiter le centre des villes.

Dorénavant, la bourgeoisie évitera le combat classe contre classe et va tourner les problèmes : on ne parlera plus de « cités ouvrières », mais de « cités-jardins » ou d' « habitations à bon marché », en attendant les « habitations à loyers modérés » et la « Cité radieuse » des grands ensembles.

Les acquis de la lutte ouvrière vont servir à la bourgeoisie pour mieux la contrôler : les premiers équipements, le système scolaire vont s'employer à créer de toute pièce une morale ouvrière au service du capitalisme.

Le tableau social a changé : une « classe-tampon » est apparue, la nouvelle petite bourgeoisie des employés du commerce et de l'industrie. Le monde de l'industrie a lui aussi changé : l'entreprise familiale vit ses derniers moments, les capitaux se concentrent et se restructurent ; la classe capitaliste s'organise en tant que classe et cherche à résoudre les contradictions secondaires telles que le problème du logement de la classe dominée et l'organisation générale de l'espace. Ce n'est plus le capitaliste qui parle de « cités ouvrières », c'est le capitalisme qui parle de « logements à bon marché ».

La période est fortement marquée par la crise des années trente. Au niveau de la construction, les idées évolueront plus vite que les faits : période charnière d'expérimentation de la gestion collective du logement de la classe dominée, dont la réalité politique surviendra après la Seconde Guerre mondiale ; expérimentation entre secteurs publics et promoteurs privés, entre O. P. H. B. M. et lotisseurs, entre planificateurs et élus, entre les premiers urbanistes et les Chambres ; enfin, long combat pour l'intervention de l'Etat.

L'industrie mécanique focalise les investissements avec l'apparition des premières automobiles et le secteur de l'aviation qui prend son essor pendant la Première Guerre mondiale. La concentration industrielle capitaliste a besoin de mieux organiser l'espace, de répartir zones de logements et zones d'activités, réseaux de transports et premiers équipements... Son Etat va apprendre à s'en charger et passera à la pratique après 1945 : ici naît l'urbanisme.

Il s'agit en effet de mettre au pas le capitalisme foncier qui, avec sa politique de lotissements, a fini par oublier que le fondement du système capitaliste était l'exploitation des travailleurs dans la production.

Ce qui justifie et conforte les idées du Musée social, c'est la diarrhée pavillonnaire qui s'est répandue autour des grandes villes et de Paris en particulier. Ce n'est pas l'atavisme des classes populaires, voire de la petite bourgeoisie, qui en est la cause, mais bien la soif de profit d'une couche de la bourgeoisie, propriétaires fonciers, promoteurs avant la lettre : les lotisseurs.

De 1920 à 1930, ce sont eux qui feront l'urbanisme.

Ce mouvement s'appuie sur deux phénomènes : d'abord, celui du chemin de fer qui, en réglant le problème du transport de Paris à la province dans la première période (18 lignes de Paris vers les grandes villes de province de 1842 à 1870), crée des carrefours ferroviaires comme Juvisy, Villeneuve-Saint-Georges, Palaiseau, Noisy-le-Sec, Argenteuil, etc. Ensuite, celui d'une première vague de décentralisation industrielle qui s'effectue le long des voies ferrées et en bordure des fleuves ou des canaux. Cette tendance prend naissance vers 1880 et s'amplifie jusqu'en 1930 avec le transfert des activités du centre reconquis par la bourgeoisie et l'implantation des unités de production trop encombrantes : centrales thermiques, usines à gaz, etc.

De 1880 à 1914, se développent surtout les banlieues ouest et nord-ouest, nouveau croissant fertile de Boulogne à Colombes irrigué par la gare Saint-Lazare et la gare du Nord.

Avant 1914, environ 3 000 hectares ont ainsi été lotis. Au lendemain de la Première Guerre mondiale, le mouvement s'amplifie et 10 000 hectares seront lotis dans la région parisienne dont la population va augmenter d'un million de 1920 à 1930.

Le processus est simple pour le capital foncier et bancaire : acheter les grandes propriétés agricoles de 200 à 300 hectares, les découper en petits bouts de 300 m² et les revendre avec d'énormes bénéfices. C'est cette spéculation foncière à l'état pur qui est le mot d'ordre de l' « urbanisme » sauvage, première manière. La clientèle en est la portion solvable de la population par un système de crédit court.

entre les deux guerres, près de 700 000 personnes seront ainsi logées dans la région parisienne. A l'inverse de la première vague de lotissements d'avant 1914, les lotissements pauvres se concentrent au nord et à l'est et dans le sud, le long de la ligne d'Orléans.

Symbole de la solution apportée au problème du logement de la classe dominée par le capitalisme foncier, le lotissement s'oppose à la « cité-jardin », solution nécessaire au fonctionnement du capital industriel. Mais la cité-jardin ne permet pas les mêmes profits que les lotissements, aussi la grande bourgeoisie industrielle va s'employer à la faire prendre en charge par des organismes publics : les H. B. M. créées en 1912, financées par l'emprunt de 200 millions, puis plus tard, et avec réticence, par la Caisse des dépôts. Le mouvement du Musée social en sera l'agitateur, en même temps qu'il mettra en place un nouveau venu : l'urbanisme.

En effet, la concentration industrielle favorise une organisation de la production qui réclame un plus grand contrôle de la rentabilité de chaque poste de travail, et les patrons sont amenés, en partie pour lutter contre les organisations de la classe ouvrière, à préconiser une grande mobilité de la main-d'œuvre qui s'accorde mal avec l'idéologie de la petite propriété prônée par les lotisseurs. Ce ne sera plus la cité ouvrière de M. Dollfus ou de M. Meunier, ni le lotissement de tel ou tel spéculateur, mais la cité-jardin ou les H. B. M. de la municipalité ou du département.

Un nouveau type de gestionnaire du logement de la classe dominée apparaît : la « collectivité publique », à travers les municipalités. Les élus socialistes et radicaux en seront partie prenante dès le départ ; Henri Sellier, le promoteur des cités-jardins de Suresnes, est un élu socialiste. C'est aussi la naissance de la banlieue rouge. Le problème du jeu réformiste que jouent ainsi les élus de la classe ouvrière sera évoqué lors de la scission au congrès de Tours et fera l'objet d'une sérieuse critique du congrès de l'Internationale communiste au Parti communiste français en 1930 : « ▮▮▮▮ graves défauts de l'action municipa▮▮▮▮ niste est sa liaison insuffisante avec l'activité et les mots d'ordre d'action du parti, son isolement du travail de masse, en particulier du travail dans les usines. Les revendications municipales, en règle générale, sont formulées en " haut lieu " sans être discutées dans des réunions ouvrières [17]... »

Le pouvoir capitaliste a donc besoin de réorganiser son espace et joue de tous les intermédiaires possibles pour éviter le combat classe contre classe ; une nouvelle idéologie du logement ouvrier naît, avatar de la pensée hygiéniste rénovée : ce n'est plus la peste ou le choléra,

---

17. Résolutions de l'Internationale communiste : « Les Tâches des communistes dans la politique municipale » (1930).

c'est la tuberculose et le « cadre de vie », mais au fond toujours le même problème — celui du contrôle des travailleurs dans leur logement.

La cité-jardin est encore une fois une solution créée outre-Manche : dès 1890, le grand industriel du savon Lever l'utilise à Port Sunlight dans le cadre de la première décentralisation industrielle de Londres. La rente foncière s'y alourdit trop pour ne pas être une entrave au capitalisme industriel : Lever déménage, mais peu de travailleurs suivront. Les nouveaux embauchés seront recrutés dans les campagnes environnantes et payés 28 % moins cher ; les travailleurs qui ont suivi la décentralisation constitueront la maîtrise.

Quelle différence opère la cité-jardin par rapport aux cités ouvrières ? D'abord, une diversité formelle dans la composition des cottages : « Les maisons sont construites par groupes de huit ou plus et il n'y a pas un groupe qui ne soit semblable à l'autre. »

Ce problème de la diversité de l'aspect d'habitat stéréotypé, nous le retrouverons avec Sellier à Suresne : il s'agit de donner l'image d'une organisation spatiale qui opérerait une symbiose entre ville et campagne... en réalité, ce seront des banlieues !

La réelle différence d'avec les cités ouvrières, c'est la politique d'équipements qui est mise en œuvre et, en premier lieu, le jardin attribué au logement. Les équipements collectifs, ce sont l'église, mais — fait nouveau — l'école, la salle des fêtes, les magasins coopératifs et d'autres locaux qui abritent l'institut de prévoyance, les associations de récréation telle la société sportive.

L'ensemble de ces services permet un contrôle de tous les aspects de la vie, et à cette occasion est créée par la bourgeoisie une morale sexuelle pour la classe ouvrière. A Port Sunlight, l'organisation de la division sexuelle est poussée dans ses moindres détails : réfectoires séparés... et nul couple non marié ne peut habiter « Garden City ». Poussés à ce point, l'hygiène, la morale et le contrôle bourgeois s'avéreront insupportables à la population qui exigera l'ouverture d'un « pub », lieu traditionnel de contacts et d'échanges.

Tout modèle subit des transformations, et les cités-jardins françaises, issues du même processus de décentralisation industrielle des grandes métropoles, ne seront jamais le fait d'un industriel ; elles seront gérées municipalement comme nous l'avons noté. Il faudra des dynasties rétrogrades comme les familles Michelin ou Peugeot pour faire Sochaux.

Des cités-jardins du grand Paris telles qu'elles sont prévues par le plan de 1920, deux seulement verront leur achèvement : la Butte rouge à Chatenay-Malabry et l'autre au Plessis-Robinson — et, plus tard, les cités-jardins sans jardins de Drancy et Villetaneuse.

A Suresnes, la décentralisation industrielle démarre dès 1902. Jusqu'en 1923, les travailleurs habitent en taudis et sont la proie des fléaux habituels : tuberculose et lutte de classes. Mais Henri Sellier va y remédier en créant la cité-jardin.

Un décret municipal du 21 mars 1919 déclare d'utilité publique l'expropriation pour cause d'insalubrité. Le 9 janvier 1920, le conseil municipal de Suresnes crée l'Office municipal des H. B. M., en application de la loi de 1912. En six opérations, de 1921 à 1933, l'office crée plus de 1 000 logements, réalisant ainsi le rêve réformiste de H. Sellier : « La cité-jardin ! Voilà du vrai, du bon socialisme, celui où tous les braves gens se rencontrent et sont d'accord pour approuver les promoteurs, les encourager et les remercier [18]. »

Décrochements, « glissades de volumes », diversité, composition en accord avec le terrain naturel, ombres, jardins, lavoir, bains-douches (un ticket compris dans le prix du loyer), « papiers gais et modernes », murs de céramique — voilà un vocabulaire formel bien plus habile que celui des grands ensembles de 1950 et qui tend à faire oublier aux habitants que, derrière toute

---

18. Cité par O. SERON, *Histoire de Suresnes*, document arraché de l'oubli par Wertheimer et Dubois, Paris VIII.

cette fausse diversité, ils sont tous dans le même bain...

« La santé physique et morale du locataire se trouvera bien du jardin en plein air et la ménagère sera si heureuse ! Causant, installée sur un pliant dans le potager, elle regarde son mari bêcher, sarcler, ratisser, arroser. Elle observe chaque jour les progrès des choux ou des salades qui viendront corser le menu familial et alléger le budget du ménage par ces temps de vie chère [19]... »

Le contrôle continue de s'exercer, paternel ou hygiéniste, ou franchement policier à travers l'institution des « infirmières visiteuses » qui jouissent du droit de rentrer à l'improviste dans chacun des logements, d'y conseiller les femmes sur la tenue de leur budget, d'y enquêter sur la santé physique et morale de la famille et de consigner leurs observations sur un fichier central.

Cette prise en charge de la moralité sociale de la classe dominée conduira même, en 1933, à créer au bout de la zone un immeuble spécial pour « des familles souvent nombreuses, d'une éducation sociale douteuse, et qui avaient besoin d'être observées et améliorées avant d'être introduites dans un milieu normal ».

Cette normalisation est un phénomène général qui, au niveau global de l'espace, se traduit par les premiers pas urbanistiques : un des premiers terrains prétextes en sera la destruction des fortifications autour de Paris. Le nouveau type de guerre avait bien montré leur inutilité, et les derniers à savoir s'en servir n'étaient-ils pas les communards ? Donc construction inutile, à démolir. Que faire de ces vastes terrains à la valeur foncière certaine et propriété publique de surcroît ? Le mouvement du Musée social réclame une ceinture verte pour séparer Paris de sa ceinture rouge ! Mais les tergiversations au conseil de Paris aboutiront à le lotir moitié en H. B. M., moitié en promotion.

Ainsi la lutte dépasse la ceinture verte parisienne. Un Institut des hautes études urbaines est créé en 1919... Il deviendra l'Institut d'urbanisme en 1925.

---

19. H. SELLIER.

On lance un concours international d'idées pour l'aménagement et l'extension de Paris en 1919. Le conseil municipal reçoit l'appui des maires des grandes villes de province, des associations de fonctionnaires municipaux.

La commission créée en 1905 sur ces problèmes propose une loi sur les plans d'urbanisme en 1919. La lutte sera acharnée : les associations d'architectes luttent de toute leur force pour son écartement au nom de l'architecture libérale et de la liberté de conception. Mais tout un discours justificatif de l'urbanisme est déjà en place. De jeunes architectes l'ont déjà rejoint avec la Société française des urbanistes en 1913, et l'urbanisme opérationnel est rentré subrepticement mais efficacement dans l'histoire avec la nécessité économique de la création des ports autonomes.

Les tenants de l'architecture libérale voyaient dans l'urbanisme naissant une pure technique de fluides, un rationalisme appauvrissant, et le refusèrent en bloc. Leurs cadets, plus habiles, surent y voir un changement d'échelle dans le pouvoir de décision où l'architecte démiurge pouvait enfin l'être à sa démesure.

Mais il faut faire avec les idées du temps et la crise des années trente qui favorise la montée socialiste en Europe : alors ce sera « Apollon dans la démocratie » plus qu'Eupalinos.

C'est la naissance du Bauhaus, c'est le courant de l'Esprit Nouveau, c'est la lutte ambiguë au sein de la couche intellectuelle entre fascisme et socialisme. Les réalisations soviétiques des années vingt avec le courant constructiviste et les premières architectures fascistes italiennes valorisent toutes deux une échelle grandiose ou grandiloquente qui pose le problème d'une architecture de masse. On en sentira les premières applications à Villeurbanne, au quartier des Etats-Unis à Lyon, où Tony Garnier verra ses utopies industrielles naître partiellement. Le Corbusier, oscillant entre les Croix-de-Feu et le mouvement communiste, ne saura jamais vraiment choisir son camp, mais prônera très tôt la nécessité d'une architecture de masse.

Deuxième exemple d'application, le plus poussé de la période : Drancy et ses quatre tours construites en 1938, qui deux ans après serviront de camp de concentration pour être actuellement une caserne de gendarmerie.

Le courant architectural, rationaliste, qui prend corps pendant cette période alors que ses moyens sont nés dans la précédente (1815-1914), « s'achève » dans la charte d'Athènes conçue en 1936, parue en 1941, qui, si elle critique les aspects ségrégatifs du zoning, en entérine les effets, exacerbe les règles hygiénistes en prétendant les transgresser : prospects, largeur de voies, etc.

### III. La reconstruction et la mise en place du rôle de l'Etat (1945-1954)

1945 : 275 000 logements totalement sinistrés ; c'est beaucoup, mais ce n'est pas ce chiffre qui justifie la vague de la reconstruction. En 1914, c'est de 315 000 logements sinistrés qu'il fallait parler, et nulle part on n'a parlé de reconstruction : l'expansion pavillonnaire et bidonvillaire épongea ce surplus.

En 1945, la situation est différente : les grandes installations industrielles ont été touchées, les bombardements aériens ont étendu leur destruction bien au-delà des zones de combat ; routes et ponts, gares et usines sont à reconstruire. Autre différence, les mouvements populaires ont œuvré à la libération du territoire, et si le P. C. F. fait déposer les armes en 1945, il faut bien ne pas négliger le courant qu'il représente et les besoins qu'il incarne. L'alliance sera de courte durée, et les grèves de 1954 remettent en place le simple scénario de la lutte classe contre classe.

En réalité, l'effort de la reconstruction va être plus qualitatif que quantitatif ; il ne palliera pas la crise du logement qui culminera vers 1953-1954. De 1946 à 1954, s'élaborent des méthodes, un style, une doctrine... une économie.

Les impératifs de la reconstruction sont le meilleur moyen de faire passer la nécessité de l'intervention de l'Etat aux yeux des couches politiques réticentes.

Expérimentation finale des mécanismes opérationnels préparant le logement « du plus grand nombre » à partir de 1954. Les grands ensembles de la reconstruction ne dépassent en effet que rarement le chiffre de mille logements : terrain d'essai de l'industrialisation du bâtiment et des doctrines fonctionnalistes élaborées au cours de la période précédente. Ils ne chercheront pas à régler la « crise du logement ».

Au lendemain de la guerre, la classe capitaliste croit en effet avoir apaisé momentanément ce mouvement par la célèbre loi de 1948 sur les loyers. En bloquant les loyers des constructions anciennes au détriment du capitalisme foncier, l'on pense libérer des logements dans les villes pour la classe laborieuse et favoriser l'investissement des capitaux dans la construction neuve.

Mais si les capitaux s'y investissent bien, c'est dans le secteur des logements de luxe des grandes villes qu'ils trouvent leur meilleur rapport : de 1946 à 1954, le 16ᵉ arrondissement de Paris sera celui dont la population augmentera le plus.

Le cortège des sans-logis suivra le mouvement de l'abbé Pierre, figure ambiguë du combat contre la crise du logement, mais dont les actions d'appropriation sauvage inspirées des lois de réquisition de l'immédiate après-guerre inquiéteront sérieusement le pouvoir pour le pousser à la politique des grands ensembles. Cette politique, l'Etat la mettra en place après la période de rôdage et sur une grande échelle de 1954 à 1970.

La reconstruction s'opère principalement dans l'Ouest et l'Est. Certaines villes seront reconstruites, mais pour une large majorité des cas, c'est la mise en place des « cités de transit ». Le prétexte de l'urgence permet de tels procédés. Ailleurs, le style oscille entre la recomposition de l'espace urbain antérieur (Saint-Malo, Caen, Gien...) ou l'application des nouvelles normes d'urbanisme prônées dans l'entre-deux-guerres mais qui n'avaient pu trouver de terrain alors ; c'est la reconstruction du Havre et de Royan.

On expérimente là les vastes avenues, les systèmes de réseaux de circulation primaire, secondaire et tertiaire, les grandes compositions et leurs prospects. Et le béton, qui trouve enfin les débouchés à sa mesure.

Parallèlement, le remembrement foncier favorise des plans d'ensemble et la franche participation de l'Etat dans des formules telles que les « immeubles sans affectation individuelle » (I. S. A. I.) ou les « immeubles collectifs d'Etat ». L'ensemble du secteur est locatif... Pas question dans de telles périodes d'essayer de drainer l'épargne populaire. En revanche, pour les autres couches, d'une part, la politique pavillonnaire des années 1920-1930 continue avec des avatars participationnistes tels que les maisons-castors ; d'autre part, le logement bourgeois en copropriété prend un nouvel essor.

Enfin, le secteur du bâtiment se concentre et se dote de moyens nouveaux : l'industrialisation apparaît. Cet impératif, apparemment démocratique, d'industrialisation est repris par les architectes et les urbanistes. L'industrialisation massive du bâtiment leur semble en effet souhaitable, dans la mesure où elle abaisse les coûts et permet ainsi de réaliser le logement populaire vite et à bon marché.

Il faut le recul actuel pour juger de l'erreur de cette appréciation. Le développement des forces productives (techniques de chantier et d'industrialisation du second œuvre) ne profite en rien à la classe dominée s'il ne s'accompagne pas d'un développement des rapports de production dans le même domaine. En effet, ce courant aboutira d'une part à une plus grande exploitation de la main-d'œuvre du bâtiment : main-d'œuvre autrefois défendue par des structures corporatives puissantes, remplacée par la main-d'œuvre immigrée dès l'après-guerre. D'autre part, ce n'est pas la classe dominée qui profite de l'abaissement des coûts à la construction des logements qui lui sont destinés. Le fait que ce soit l'Etat ou la collectivité publique qui tienne le rôle de constructeur justifiera le fait que l'abaissement des prix se fasse à son profit... quitte à conserver le même scénario lorsque, plus tard, ce seront les promoteurs privés qui auront repris la main.

Architectes, urbanistes et idéologues du nouveau fonctionnalisme industriel cherchent donc à standardiser le plus possible leurs projets. Le mot « cellule » remplace vite le mot « logement ». Le concours de 1949, les chantiers expérimentaux en sont les terrains d'application immédiate. L'opération de Villeneuve-Saint-Georges, en quatre tours de treize niveaux, inaugure avec ses 4 000 poteaux identiques. D'autres réalisations chercheront à normaliser la vie sociale en même temps que son contenant : c'est le programme de la Cité verte de Sotteville-lès-Rouen et, plus encore, la Cité radieuse de Marseille dès 1947.

Vite rôdés ces exemples vont servir de référence pendant la période 1950-1958 où se mettent en place les grands ensembles préhistoriques. C'est l'apparition de l'architecture de « plan de masse » des modules répétitifs : « une syntaxe où les impératifs humains de la vie quotidienne des habitants n'interviennent pas en priorité [20] » ; « modules » de 100 mètres à Saint-Etienne Beaulieu, 150 mètres à Caen-La Guérinière, 260 mètres à Bron-Parilly, 400 mètres à Nancy-Le Haut du Lièvre.

Parallèlement, les chantiers prennent de l'importance. Les grands chantiers créent les grands ensembles. La loi d'investissement de 1951 prévoit des groupes de plus de mille logements : à Lyon, Bron-Parilly ; à Angers, Belle-Beille, etc. Le rythme s'accélère et les mots d'ordre sont « un logement par jour » pour les 300 unités du Shape Village la même année, et 1,6 logement par jour à Strasbourg-Rotterdam en 1952.

La machine tourne, elle est lancée... La politique des grands ensembles prend son rythme. A partir de 1953, avec les plans Courant et Lemaire, avec l'instauration du 1 % patronal, avec l'intervention obligatoire

20. J.-L. TAUPIN, in *L'Urbanisation française,* 1963.

des bureaux d'études, le mouvement de la production immobilière de masse s'accroît régulièrement. De 1952 à 1959, la production sextuple.

Les derniers acteurs rentrent en scène : la Caisse des dépôts et consignations crée la S. C. I. C. en 1954. Le chantier de Sarcelles commence la même année. Les ordonnances portant sur les procédures d'expropriation, la rénovation urbaine et la création des Z. U. P. interviennent en 1958.

# 3. Eléments pour une analyse des grands ensembles

## I. Les crabes... position et objectifs des différents agents

L'industrie du bâtiment est encore très peu concentrée dans les années cinquante : une multitude d'entreprises de taille souvent très petite se partagent le marché. Un des objectifs donnés à l'action gouvernementale est donc d'accélérer la concentration des entreprises dans le secteur du bâtiment. L' « aide à la pierre » y contribue dans une large mesure, en incitant les capitaux à se regrouper pour assurer une production que l'on veut standardisée et industrialisée. Un tel type de construction demande en effet à être mené à une vaste échelle pour remplir son rôle de rentabilisation du capital investi par la production en série (normalisation architecturale et des matériaux).

Qu'on ne se trompe pas pourtant sur l'analyse des déterminants réels de cette évolution. Le schéma présent dans les discours de l'Etat à la fin des années cinquante était du type suivant :

La crise du logement, la reconstruction, et l'objectif de limitation des loyers impliquent l'aide de l'Etat et une construction normalisée en série, qui nécessitent la présence d'entreprises puissantes dotées de capitaux importants.

La réalité est bien différente : la politique des grands ensembles est poursuivie après la reconstruction et après la résolution de la majeure partie de la grande crise du logement. Les loyers, vingt ans après, augmentent toujours. En fait, chacun des agents a ses propres objectifs, qui peuvent entrer en contradiction avec ceux des autres. Nous considérons ici comme « agents » les quatre grands intervenants économiques dans ce procès : le capital industriel de l'industrie du bâtiment, le capital industriel de l'ensemble des branches de l'activité économique, le capital financier et enfin l'Etat.

*Le capital industriel de l'industrie du bâtiment*

Confronté à l'expansion des autres branches industrielles, il doit assurer la sienne propre, et ce sur une double base :

— la première base dont il dispose est l'importance de son capital variable par rapport aux capitaux fixes. Le bâtiment bat en ce domaine tous les records : de tous les secteurs industriels, il est celui qui emploie le plus de main-d'œuvre (1 406 000 personnes en 1962, 1 790 000 en 1968, soit + 28 %, contre 4 794 000 et 5 063 000, soit + 5,6 % pour l'ensemble des industries de transformation), emploie le plus de travailleurs immigrés surexploités, verse les salaires les plus bas, fait observer la semaine de travail la plus longue (49 heures). Ces caractéristiques résultent de la nécessité du dégagement d'une plus-value importante, destinée pour une grande part à payer la rente foncière aux propriétaires des terrains. C'est en effet le travail ouvrier qui est producteur de plus-value ;

— la seconde base est encore à réaliser en 1960 : c'est la concentration des entreprises. Elles sont encore 280 000 en 1966, dont les trois quarts emploient moins de trois salariés ! Secteur encore archaïque, le bâtiment doit rattraper son retard dans la course à l'accumulation du capital par rapport aux autres secteurs industriels.

*Les autres secteurs industriels*

Leur intérêt est double :

D'une part, ils souhaitent concentrer la main-d'œuvre à proximité des lieux de production et au moindre coût possible : les loyers comme les frais de transport entrent en effet dans le coût de reproduction de la force de travail ; s'ils s'élèvent trop, ils peuvent entraîner des revendications salariales car leur versement est à la charge du travailleur. Cet intérêt entre en contradiction avec ceux des promoteurs du bâtiment qui cherchent des terrains peu soumis à la spéculation foncière (dans le cas des logements sociaux), c'est-à-dire souvent éloignés des centres industriels, et des loyers élevés.

D'autre part, limiter les interventions financières de l'entreprise dans le logement ou les transports, interventions qui ne sont pas directement productives. Lorsque les entreprises sont contraintes à ces interventions par une loi obtenue sous la pression des luttes des travailleurs, elles cherchent à les rendre sélectives : les indemnités de transport sont alors réservées individuellement aux salariés et non versées globalement à un service public sous forme de subvention, quand le transport n'est pas assuré directement par l'entreprise ; le 1 % patronal est de plus en plus associé à la réservation par l'entreprise d'un certain nombre de logements. C'est un retour déguisé aux principes de la cité ouvrière patronale de la fin du XIXe siècle : logement et transport deviennent un moyen de rattacher plus étroitement le salarié à l'entreprise en l'en rendant plus dépendant, quitte à entrer en contradiction avec la gestion au niveau national du système capitaliste qui recherche une mobilité maximale des travailleurs.

*Le capital financier*

Aidé par la loi (mécanismes de crédit, appels aux fonds bancaires), mais aussi par l'incapacité des entreprises du bâtiment à mobiliser les fonds nécessaires à la réalisation des grandes opérations et à accélérer la rotation du capital dans la production du logement, les capitaux bancaires se précipitent, surtout à partir de 1959, dans le secteur profitable de la promotion immobilière. Leurs objectifs sont simples : immobiliser un maximum de capitaux sur les opérations rentables, faire prendre en charge par l'Etat la rémunération des capitaux trop longtemps immobilisés [1], accélérer la rotation du capital.

## L'Etat

L'Etat n'est pas plus un « arbitre » neutre des conflits sociaux et économiques qu'un appareil qui serait « investi » et « dénaturé » par la bourgeoisie ou les monopoles. L'Etat n'est que le produit de la classe dominante dans les rapports de production. Mais la formation sociale française porte à chaque époque le poids de son histoire, qui se manifeste par des traces, des survivances de rapports sociaux et politiques antérieurs. C'est ainsi que l'Etat non seulement reflète mais porte en son sein propre les contradictions de l'ensemble du système, celles qui proviennent de la base économique comme celles qui se manifestent dans les rapports sociaux et politiques.

Les « louvoiements » de la politique de l'Etat en matière de logement sont significatifs de cette position : soutenu par la petite et moyenne bourgeoisie, dont les suffrages lui sont indispensables, il se doit de conserver aux propriétaires fonciers ou aux petits propriétaires immobiliers leurs privilèges ; parallèlement (et contradictoirement), il doit limiter le monopole de la propriété foncière, afin de permettre aux capitaux investis de s'approprier une part maximum de la plus-value, au détriment de la rente foncière ; garant de l'expansion du grand capital monopoliste, il se doit également de promouvoir l'action des capitaux financiers comme les vœux des industriels, qu'ils soient du bâtiment ou des autres branches ; soumis à la pression des masses populaires, il se voit obligé de répondre à leurs principales revendications ou du moins de fournir des illusions de réponses, illusions dont son action idéologique doit permettre le fonctionnement.

1. Crédits sociaux.

Son action dans le domaine des grands ensembles, et du logement en général, correspond à l'urgence de la réalisation massive d'un habitat social « moderne » (c'est-à-dire adapté aux exigences capitalistes de l'heure) et se regroupe sur quatre thèmes :

— limiter le rôle économique des propriétaires fonciers en transférant par son intermédiaire la propriété des sols aux mains des promoteurs. Il tend même de plus en plus à disparaître comme intermédiaire et à faciliter un transfert direct. Le promoteur, qu'il soit privé ou public, est donc à même de s'approprier la plus large part possible de la rente ;

— assurer lui-même les opérations peu rentables, voire déficitaires (ou mieux, les faire assurer par les collectivités locales), en abandonnant aux capitaux de promotion [2] les secteurs les plus rentables ;

— assurer la concentration des capitaux et des entreprises ;

— limiter les réactions populaires par la propagande idéologique et la multiplication d'interventions législatives inopérantes mais publicitaires. L'Etat doit créer son image de bienveillante neutralité, et cette intervention politico-idéologique est un des facteurs permettant la reproduction des rapports sociaux de production.

Le technocratisme flamboyant de la V$^e$ République est particulièrement significatif de cette évolution où même le politique cède le pas à la seule combinaison de l'économique et de sa superstructure idéologique.

Nous sommes donc bien loin du schéma présenté au début de ce chapitre. Les grands ensembles apparaissent, d'une part, comme le produit de l'intervention de l'Etat dans la reproduction de la force de travail et

---

2. Ici encore, qu'ils soient privés, semi-publics, ou publics ; les promoteurs publics fonctionnent en effet de plus en plus comme des promoteurs privés, recherchant un profit maximum sans cesse réinvesti. Ce qui est « perdu » d'un côté (prêts dévalorisés) est « rattrapé » de l'autre (profit des O.H.L.M.). L'Etat capitaliste ne peut pas « y perdre » lorsqu'il cède aux exigences de la classe ouvrière.

plus largement dans celle des rapports de production, intervention qui l'amène à agir tant au sein de la contradiction capital financier/capital industriel qu'au sein de la contradiction capital industriel/propriété foncière ; d'autre part, comme le produit de la domination progressive du capital financier sur le capital industriel, dans l'ensemble des activités économiques comme dans la branche du bâtiment.

## II. Le panier... la réalisation des grands ensembles

### Les objectifs

Il s'agit tout d'abord d'assurer « une certaine stabilité des programmes de construction, les industriels ne pouvant s'équiper qu'à condition d'être sûrs du niveau d'activité correspondant [3] », d'où l'établissement de programmes pluriannuels pour le financement public du logement. La commission des finances de l'Assemblée nationale déclarait ainsi en 1956 : « Le but principal poursuivi par le gouvernement est d'établir un plan quinquennal inconditionnel de construction H. L. M. et de primes, plan permettant aux entreprises d'achever de s'équiper et aux constructeurs de payer des prix moins élevés en raison de la continuité des chantiers. »

Mais il faut également promouvoir une taille importante des chantiers, permettant l'organisation du travail, la production en série. C'est ainsi qu'en 1954 l'opération de Bron-Parilly portera sur 2 607 logements. Très vite, des Z. U. P. sont programmées par tranche de 4 000 logements ou plus. Les « concours publics » lancés auprès des architectes et des entreprises du bâtiment deviennent de plus en plus sélectifs et, en attribuant les marchés préférentiellement aux « plus gros », jouent un grand rôle dans la concentration des entreprises, quitte à ce que l'entrepreneur, une fois le marché

---

3. E. PRÉTECEILLE, *op. cit.*, p. 30.

décroché, agisse à sa guise et modifie considérablement les plans initiaux et les coûts financiers pour la collectivité.

## Le problème des sols

Le processus de transfert de la propriété des sols et d'équipement de ces derniers devient vite classique, la législation des Z. U. P. l'ayant formalisé : blocage puis achat des terrains par l'Etat ou la collectivité locale (par l'intermédiaire de sociétés d'aménagement publiques ou d'économie mixte), équipement des terrains par la société d'aménagement, revente des terrains aux promoteurs choisis, à un prix très bas, parfois même inférieur à la valeur réelle du terrain viabilisé. Le promoteur n'a plus qu'à construire puis à vendre ou à louer.

Les effets de la politique d'expropriation, annoncée par l'Etat comme devant couper court à la spéculation foncière, ont eu en fait comme principal résultat de transférer la charge du paiement de la rente foncière qui, assuré initialement par le constructeur ou le promoteur, l'est de plus en plus par l'Etat lui-même.

Comme le note E. Préteceille : « Les prix d'acquisition des terrains, au moyen de la procédure d'expropriation, ont été le plus souvent fixés au " prix du marché ", autrement dit à un niveau intégrant largement la rente foncière correspondant au nouvel usage du sol [...]. La politique visant à favoriser les organismes constructeurs et à limiter le monopole de la propriété foncière a subi, dans le cours même de son application par les services de l'Etat, un rééquilibrage en faveur de cette dernière [4]. »

La contradiction entre capital industriel ou financier de production de logements et propriété foncière n'est pas résolue, c'est simplement l'Etat qui en fait les frais au profit de la propriété foncière ! Quant à la conséquence la plus directe de cette action, elle est claire :

4. *Ibid.*

« Du fait de ces prix et de l'effort d'équipement réalisé dans ces zones (qui n'a pourtant rien d'extraordinaire) [...], la charge foncière par logement s'est trouvée, au total, plus élevée dans les Z. U. P. qu'en dehors. »

Autre procédure : l'achat amiable des terrains. « Cette solution, écrit Préteceille, est intéressante pour les promoteurs à condition qu'ils parviennent à conserver tout ou partie du surprofit » (dans le cas où l'acheteur n'est pas l'Etat, mais un promoteur).

Elle a surtout — en ce qui concerne les Z. U. P. — été employée pour l'achat de grandes propriétés, et Préteceille en donne trois raisons :

« Les conditions particulières dans lesquelles une propriété importante est mise en vente peuvent en permettre l'achat à un prix intéressant (nécessité de vendre son patrimoine et difficulté de vendre un bien très important, par exemple).

« La première opération, dans une' zone donnée, peut ne payer que la rente foncière correspondant à l'usage antérieur du sol, si les conditions générales de cette zone ne paraissent pas favorables à un autre usage ; conditions qui se trouveront modifiées ensuite, y compris par l'opération elle-même si elle est importante.

« Enfin, les promoteurs importants ont la possibilité de fait d'obtenir des dérogations aux règles d'urbanisme définissant les usages possibles du sol. »

Expropriation ou achat à l'amiable : dans les deux cas, le but cherché — réduire la rente foncière versée au propriétaire — est le même.

Cet objectif ne fut dans l'ensemble que très légèrement atteint, mais de toute manière, qu'elle soit versée intégralement ou non au propriétaire, la rente ne s'en retrouve pas moins totalement intégrée au loyer (voir annexe sur la rente foncière) : les propriétaires fonciers sont mis au pas, mais pas la rente foncière. Rappelons en outre le poids politique des propriétaires fonciers, poids qui entrave continuellement l'action que l'Etat capitaliste moderne pourrait mener contre eux.

Le système de promotion immobilière est marqué par la domination du capital de circulation (capital financier du promoteur) sur le capital productif (capital industriel du constructeur).

Nous présentons ici rapidement une analyse de la maîtrise du procès de production du grand ensemble, à savoir « l'ensemble des rapports de production par lesquels sont définies les conditions générales de ce procès, c'est-à-dire nature du produit, quantité, moment de la production, rythme et localisation [5]... ».

Le capital de circulation est lui-même composé d'associations de capitaux différents, que l'on peut regrouper en deux types distincts. Un premier type est constitué par « le capital immobilier de circulation proprement dit, c'est-à-dire du capital spécifiquement affecté à la circulation des produits de l'industrie du bâtiment ». Il prend plusieurs formes : capital monopoliste, capital « dévalorisé » (soit drainé directement par l'Etat, soit collecté sur décision publique). Un second type est constitué par le capital de prêt : capital bancaire rémunéré au taux de l'intérêt, capital de prêt sous-rémunéré. Le premier type, qui est le véritable structurant et moteur de la promotion immobilière en même temps que le seul intéressé sur l'opération, domine le second.

Le promoteur réunit les différentes fractions de capital nécessaire. Comme le montre C. Topalov, chaque configuration du capital de circulation mis en valeur dans une opération définit un type de promoteur. En ce qui concerne les ensembles de logements sociaux, on se trouve principalement face :

Soit à des promoteurs privés combinant un capital monopoliste à un capital « dévalorisé » (prêts spéciaux du Crédit foncier, prêts H. L. M.). Le taux de profit

5. *Ibid.*, p. 61.

peut être très élevé pour le capital privé grâce à une sous-rémunération du capital de prêt.

Soit à un capital dont la fraction dominante est constituée par du capital « dévalorisé » (cas des offices publics de H. L. M., sociétés anonymes de H. L. M., O. C. I. L.).

Pour Préteceille, le cas de la S. C. I. C. (Société centrale immobilière de la Caisse des dépôts et consignations), plus gros promoteur français, est particulier en ce sens : « d'instrument de gestion de capital dévalorisé pour la production de logements pour les travailleurs » (par l'intermédiaire essentiellement des sociétés anonymes de H. L. M.), elle tend à devenir un « promoteur gérant un capital immobilier pour faire du profit (dans le secteur des logements en accession à la propriété notamment) ». Si ce processus, qui n'a rien de récent, est exact, il n'est pas pour autant propre à la S. C. I. C. : les O. P. H. L. M., l'O. C. I. L. tendent également de plus en plus à l'accumulation du profit. C'est pourquoi l'expression « capital dévalorisé » ne doit pas être prise *stricto sensu :* si elle peut signifier qu'une fraction dominante de ce capital est parfois réellement dévalorisée (c'est-à-dire rémunérée à des taux inférieurs à ceux du marché), elle ne signifie en aucun cas que ce capital se désintéresse de la recherche du profit.

Ces combinaisons et interpénétrations de formes différentes de capitaux de circulation ont deux conséquences :

— l'innovation, le confort... sont réservés aux capitaux fortement rémunérés, susceptibles de réaliser ou de s'approprier les taux de profits élevés que permettent une meilleure présentation commerciale et des loyers élevés ;

— le rudimentaire, la normalisation à outrance sont le triste lot des logements sociaux à loyers « limités », auxquels les promoteurs privés n'acceptent de s'intéresser qu'à condition de s'approprier l'ensemble des profits réalisés, « au détriment » des fonds publics investis.

## III. Cynisme culturel et problèmes de la vie autonome

On peut lire le type d'habitat de la classe dominée que constituent les grands ensembles comme l'expression dans l'espace des contradictions entre inégal développement des forces productives et des rapports de production. Et lorsque, vers les années 1965-1970, on fera le procès des grands ensembles, on parlera trop des formes de l'espace et trop peu des formes de la vie sociale. On se référera bien à des indices tels que l'augmentation du taux des suicides, mais on les imputera toujours au fait que « les gens vivent dans des tours et des barres inhumaines », et jamais au fait que ce soit l'organisation de l'exploitation capitaliste qui est inhumaine.

Nous avons montré au cours de la lecture historique que les fondements de la politique capitaliste du logement de la classe dominée sont : d'une part, le problème du contrôle politique de la vie sociale de cette classe à travers l'organisation de l'espace ; d'autre part, le lieu de résolution des contradictions historiques entre les trois formes de capitalisme (foncier, industriel, financier). La période 1958-1962 marque un moment important de ces déterminismes avec l'organisation volontaire de l'espace urbain sur l'ensemble du territoire.

Du décret de décembre 1958 instituant la création des Z. U. P. à la création du District de la région parisienne en 1961 puis de la D. A. T. A. R. [6] en 1963, en passant par l'adoption du plan d'aménagement et d'organisation de la région parisienne en 1960, on voit au cours de cette période se mettre en place l'essentiel des institutions et de la réglementation qui vont

---

6. D. A. T. A. R. : Direction à l'aménagement du territoire et à l'action régionale.

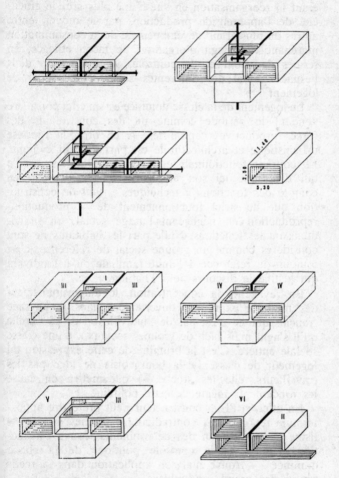

Assemblage de cellules employé pour la construction
du quartier Bron-Parilly, à Lyon (2 600 logements).
Chaque tiroir (2,50 m × 5,30 m × 11,40 m)
représente un logement.

déterminer les formes présentes de l'organisation urbaine, en particulier pour la région parisienne.

« Les choses deviennent alors très claires : l'objectif étant la réorganisation en vue d'une plus grande efficacité de l'appareil de production, par le moyen entre autres du plus grand développement de la consommation marchande, il s'agit d'organiser de façon efficace, en termes de profit et de contrôle, la distribution dans l'espace global des différentes zones d'activité et de logement [7]. »

Le logement de la classe dominée est en effet considéré pendant la période comme un des constituants des forces productives capitalistes. A ce titre, la réponse urbanistique et architecturale est parfaitement cynique. Le courant fonctionnaliste l'exprimera totalement. Ce qui démasque ici son ambiguïté est qu'il prend en compte des fonctions « techniques » tant de construction que de strict fonctionnement de la production-reproduction en négligeant l'usage social, en individualisant les fonctions. Nulle part les habitants ne sont considérés comme un groupe social de référence, c'est toujours la référence à l'unité familiale ou à l'individu qui justifie le discours de « l'habiter ».

En revanche, la concentration, le dimensionnement des modules expriment ouvertement dans le paysage français que ce n'est pas de l'individu ou de sa famille qu'il s'agit, mais bien de groupes sociaux... d'une classe sociale entière. C'est la brutalité de cette expression du logement de classe (« la bourgeoisie ne loge pas les travailleurs, elle les stocke ») qui mettra en cause les fondements même de cette politique.

En effet, si l'Etat constructeur peut prétendre apporter une réponse aux contradictions internes du capitalisme et qu'ainsi un des déterminants trouve satisfaction, l'autre — le contrôle politique de la classe dominée — trouve mal son application dans la réalisation des grands ensembles.

---

7. Act. « Les droits d'usage, d'accès et modes de gestion des espaces et équipements collectifs résidentiels », 1972.

La clarté du processus qui met en place le logement de classe l'est pour tout le monde et pour les habitants tout particulièrement. L'échelle de masse et la ségrégation des classes sont là des constituants d'une prise de conscience plus globale des populations sur le fondement du fonctionnement capitaliste, prise de conscience qui s'exprimera dans le mouvement de Mai 68.

Mais de cela la politique capitaliste du logement social n'est pas consciente dans un premier temps. Un autre phénomène l'inquiète, c'est la manifestation de la vie autonome que favorise la ségrégation des populations dans les grands ensembles.

Le contrôle des travailleurs dans la production, l'allongement de la distance entre lieu de travail et lieu de logement... laissent peu de temps aux habitants des grands ensembles pour lever la tête. En revanche, certaines couches de la population comme les adolescents ou les immigrés, pour lesquels le poids du fonctionnement de la cellule familiale ne compte pas, s'organisent une vie sociale autonome en marge des cadres dominants de la sphère de la reproduction. Ce phénomène sera analysé en terme de délinquance : ces gens sont des « voyous », des « blousons noirs », des « loulous », ou bien des « bicots », des « sales nègres », etc.

Les instances du pouvoir s'aperçoivent peu à peu que la ségrégation n'est pas un moyen de contrôle politique, mais au contraire l'instrument d'une vie culturelle indépendante des schémas de comportement dominants. La réponse sera dans l'implantation des équipements type « maisons de jeunes », etc., ou dans les circulaires de juin 1965 sur les locaux collectifs résidentiels. Mais ces solutions ne résolvent pas pour autant le problème dans les ensembles déjà construits. Comme le montre la déclaration d'Olivier Guichard à l'Assemblée nationale en mai 1973, en sa qualité de ministre de l'Aménagement du territoire et de l'Equipement : « Mais comment nos villes resteraient-elles ces éducatrices de la société nationale si elles devaient

87

devenir des réserves de telle ou telle classe ? [...] Il est évident que la cité ouvrière, le quartier H. L. M. ou la banlieue résidentielle sont à cet égard des structures déformantes, à la limite des lieux d'apprentissage de la *sécession sociale*. » Et les équipements relèvent à leur échelle des mêmes processus de ségrégation et de contrôle volontaire qui règlent la vie des grands ensembles.

Le problème de la vie autonome de certains groupes d'habitants de ces ensembles sera posé nationalement en mai 1968. N'accusera-t-on pas les manifestants d'être des « voyous venus des grands ensembles de banlieue... » ? En retour, à partir de 1968, des groupes d'habitants mèneront des actions sur leur espace avec des motivations ouvertement exprimées, à la différence des mouvements précédents.

Si la réponse à la première forme de manifestation de la vie autonome de certains groupes sociaux a été une politique des équipements, la réponse à la seconde sera l'implantation d'équipes d'animation au statut pour le moins ambigu.

# 4. Grandeur et décadence des Z.U.P.

## I. La législation des Z. U. P.

En 1957, la dernière Assemblée nationale de la IVᵉ République vote une loi-cadre prévoyant le statut et la procédure de réalisation des Z. U. P. De nombreux décrets et ordonnances d'application se succéderont pendant une dizaine d'années pour appliquer ou compléter ces mesures législatives [1].

« La Z. U. P., écrit Louis Jacquignon, est un emplacement sur lequel les opérations d'urbanisme doivent être réalisées dans un court délai. Elle va permettre la création d'ensembles importants d'habitations, de quartiers nouveaux, ou même de villes nouvelles disposant de tous les équipements nécessaires, par une exécution coordonnée et synchronisée de ces derniers avec la construction des immeubles, ce qui présente l'avantage pour les communes d'éviter la dispersion des efforts de l'équipement des terrains [2]. »

Ce bel optimisme était celui des députés de 1958. Nous avons vu que la réalité est bien loin de cette « exécution coordonnée et synchronisée » !

En ce qui concerne la réalisation des Z. U. P. la législation en fixe la procédure selon les sept phases suivantes : « Choix de l'implantation de la zone et intervention de l'arrêté ministériel délimitant la zone ;

---

1. Voir notamment le décret n° 58-1464 du 31-12-58 publié au *Journal officiel* du 4-1-59, et les *J.O.* des 21-7-62, 24-12-64, 11-7-65 et 29-4-69.
2. L. Jacquignon, *Droit de l'urbanisme*, p. 156.

établissement du programme d'urbanisme [3], déclaration d'utilité publique et convention de concession ; acquisition des terrains par l'aménageur (soit à l'amiable, soit par exercice du droit de préemption, soit par expropriation), établissement des projets d'exécution, aménagement des terrains, cession des terrains au promoteur, construction (aménagements collectifs et logements privés) [4]. »

Lois et décrets prévoient également les moyens devant permettre de réaliser cette politique. Droit de préemption [5] et droit d'expropriation sont donnés aux collectivités publiques et à leurs concessionnaires. Ils s'appliquent à tous les terrains situés dans le périmètre de la zone. Les principaux modes de financement sont établis. C'est le F. D. E. S. (Fonds de développement économique et social) qui arrête le bilan financier de l'ensemble de l'opération et détermine ses moyens de financement. Des avances de l'Etat sont alors accordées par l'intermédiaire du F. N. A. F. U. (Fonds national d'aménagement foncier et d'urbanisme).

## II. Pour qui sonne le glas ?

La loi d'orientation foncière de 1967 sonne le glas des Z. U. P. : la procédure est quasi totalement abandonnée au profit de celle des Z. A. C. (zones d'aménagement concerté). Les Z. U. P., dit-on alors, sont un échec total : échec esthétique, cadre de vie « inhabitable », cherté des coûts et des loyers, problème foncier plutôt aggravé que résolu, pauvreté quantitative et qualitative des équipements, etc.

---

3. Le plan prévu des réalisations doit être joint à l'arrêté de création. Cette mesure est purement formelle, les plans étant sans cesse modifiés en cours de route...

4. L. JACQUIGNON, op. cit., p. 158.

5. « C'est le droit qui est donné à toute collectivité publique de se porter acquéreur, à un prix fixé comme en matière d'expropriation, de tout terrain situé dans la zone qui viendrait à faire l'objet d'une aliénation à titre onéreux. » (Ibid., p. 157.)

Mais si l'on sort du cadre des Z. U. P. définies comme telles pour examiner l'ensemble de l'urbanisation des années cinquante et soixante, on constate que bien des ensembles et des logements non catalogués comme Z. U. P. présentent des caractéristiques semblables dans leur apparence ou dans leur mode de réalisation. Les Z. U. P. ne sont donc pas le seul résultat d'une volonté politique survenue *ex nihilo,* mais l'expression de la conjonction entre un certain nombre de facteurs économiques, politiques et idéologiques.

## Le « monstre » des Z. U. P.

Le « monstre » dans la Z. U. P., celui qui est tout le temps là mais que personne ne « voit », celui qui surgit parfois pour faire trembler Etat et promoteurs, celui dont on parle à voix basse en comptant ses bénéfices « au coin du feu », louchant sur la porte de peur qu'il n'entre avec fracas, ce monstre c'est la classe ouvrière.

Dire que pour elle les Z. U. P. sont un échec total est juste, mais ne veut plus dire grand chose : que pourrait-elle de toute manière espérer de la politique capitaliste ? Il est cependant significatif de noter que, depuis la Seconde Guerre mondiale, les représentants politiques et syndicaux de la classe ouvrière ont remporté bien peu de victoires — voire même aucune si ce n'est des duperies — sur le front du logement.

L'échec est total, sur tous les plans.

Les Z. U. P. ont bien peu participé à la lutte contre la pénurie de logements : « De 1958 à 1964, le nombre de Z. U. P. qui furent créées dépasse 155, représentant environ 17 000 hectares de terrains et un potentiel de 655 000 logements ; ces créations sont très insuffisantes au regard des besoins ; or, à la fin de 1964, 2 800 hectares seulement étaient équipés dans 120 Z. U. P. en voie d'urbanisation avec 33 200 logements terminés et 57 400 en cours [6]. »

---

6. L. HOUDEVILLE, *op. cit.,* p. 323.

Les loyers, dans la plupart des Z. U. P. et surtout dans celles de la région parisienne, ne sont pas moins élevés que dans certaines autres réalisations. La différence de loyer est souvent rattrapée par les charges, parfois très élevées.

Les H. L. M., en Z. U. P. comme ailleurs, ont rarement profité en priorité aux plus bas revenus : les offices de H. L. M. n'aiment pas « les mauvais payeurs » ! La sélection joue même pratiquement à l'envers : « Les cadres supérieurs et les professions libérales, qui en principe ne devraient pas avoir accès aux H. L. M., y entrent largement dans une proportion même supérieure à celle qu'ils représentent dans l'ensemble de la population urbaine (7 % au lieu de 6 %) ; de même que les cadres moyens obtiennent 16 % alors qu'ils constituent seulement 10 % de la population non agricole [7]... » Les emplois proches des Z. U. P. sont souvent des emplois déqualifiés et à bas salaires. Les transports sont rares et chers. Les équipements sont pour la plupart inexistants. Le « cadre de vie », tant celui du logement que celui de l'ensemble de la Z. U. P., est invivable, non pas seulement en raison de son esthétique ou du bruit, etc., mais parce qu'il cherche à interdire toute vie collective réelle : absence d'équipements et de lieux de rencontre, structure de l'habitat, organisation des « voies de communication ». La formation d'un ersatz de vie collective avec le phénomène de « bandes de jeunes » reproduit sous une forme spécifique en Z. U. P. sera l'une des causes idéologiques de l'abandon des Z. U. P., bien moins pour des raisons de « délinquance juvénile [8] » que pour des raisons de blocage de toute forme de vie collective extra-institutionnelle.

Il faut à ce tableau ajouter la cherté de la vie en Z. U. P. Cherté des transports bien sûr, mais aussi

---

7. *Ibid.*, p. 122. Ces chiffres datent de 1969, il semble que la situation se soit encore aggravée depuis.

8. Elle n'est pas plus forte en grands ensembles qu'en habitat ancien, compte tenu des densités différentes de population.

de tous les achats courants ou plus exceptionnels : la plupart des Z. U. P. sont dotées d'un centre commercial. Le plus souvent, ce centre est sans concurrence locale et peut en toute sécurité appliquer de véritables prix de monopole.

### Le problème foncier

Une des fonctions essentielles de la législation des Z. U. P. devait être, selon l'Etat, d'éviter la spéculation foncière sur les terrains. D'où les mesures prises en ce domaine : droit de préemption donné à toute collectivité publique ou à son concessionnaire, et droit d'expropriation pour les terrains situés dans le périmètre de la Z. U. P. Comme toutes les mesures visant timidement à réduire la spéculation foncière, et non la rente foncière qui en tant que telle n'a jamais été visée, celles-ci furent un échec. Or, « les terrains situés à la périphérie des Z. U. P. ont, à cause des surfaces insuffisantes de celles-ci qui laissent préjuger leur éclatement à terme, et en raison des équipements déjà faits ou à faire, subi les hausses spéculatives traditionnelles ; de la même manière, la lenteur de réalisation des Z. U. P. neutralisant une masse importante de terrains, a permis l'accroissement des prix des terrains urbains proposés sur le marché [9] ».

On conçoit donc que le coût financier de la réalisation des Z. U. P., notamment pour les collectivités locales, soit bien souvent plus élevé que pour les autres opérations. L' « échec à la spéculation » n'a non seulement pas été prononcé sur les terrains avoisinant les Z. U. P., mais sur leurs assises mêmes.

Edmond Préteceille résume bien cette situation dans un « tableau des charges foncières [10] » comparées en Z. U. P. et hors Z. U. P. (en francs par mètre carré

---

9. L. Houdeville, *op. cit.*, p. 324.
10. Coût des terrains + démolitions + fondations spéciales + participations + réseau et branchements eau-gaz-électricité-assainissement + voirie.

habitable). En 1966, les chiffres étaient les suivants (chiffres moyens) :

|  | H.L.M. (locatives) | | C.F.F. (logements primés bénéficiant de prêts spéciaux) | |
|---|---|---|---|---|
|  | en ZUP | hors ZUP | en ZUP | hors ZUP |
| Province ................ | 133,6 | 110,5 | 153,6 | 132,3 |
| Rég. parisienne ........... | 153,4 | 140,2 | 171,9 | 152,6 |

Le résultat obtenu est donc exactement l'inverse de celui que l'État disait avoir recherché !

### Une autocritique significative

En 1968, Agnès Pitrou réalise pour le compte de la D. A. F. U. [11] une enquête auprès des responsables des Z. U. P. sur les problèmes qu'ils ont rencontrés. Le court rapport qui en résulte [12] n'est pas seulement significatif de l'idéologie qui préside à ce genre d'enquête, mais une fois disséqué l'arsenal d'euphémismes et atermoiements divers, il est possible de dégager au travers des raisons officielles les causes réelles de l'abandon progressif de la procédure des Z. U. P.

### L'évaluation des besoins en logements

« Certaines difficultés rencontrées [...] proviennent [...] de la diminution des candidats au logement, même en H. L. M. ! » Beau cynisme, quand on sait que plusieurs centaines de milliers de logements en France sont insalubres et que les listes d'attente des H. L. M.

---

11. Direction de l'aménagement foncier et de l'urbanisme, service du ministère de l'Equipement.
12. « Quelques problèmes posés par le lancement et la réalisation des Z.U.P. », rapport d'enquête réalisée par le C.E.R.A.U. pour la D.A.F.U., sous la direction d'Agnès Pitrou, 1968.

sont souvent pléthoriques ! Sans compter tous ceux, et ils sont nombreux, qui ne peuvent prétendre à un logement en H. L. M. car le loyer en est trop élevé !

Mais Agnès Pitrou ajoute que des problèmes se posent également dans la répartition entre les différentes catégories de logements (P. L. R., H. L. M., I. L. N., etc.), de même qu'entre collectifs et individuels dans le rythme d'achèvement.

Ce qui est remis en cause, à demi-mot, c'est le principe même d'une planification publique, qu'elle soit d'Etat ou municipale, que les promoteurs et les financiers désigneront vite comme étant la source de tous les maux : « Qu'on laisse jouer librement les lois de l'offre et de la demande ! », s'exclament-ils. La méthode employée par A. Pitrou est classique : l'aggravation du mal (désormais les promoteurs seuls vont façonner les « besoins » à leur image) est présentée comme un bien (les problèmes de répartition « disparaîtront »). Les réalisations n'auront qu'à suivre la demande solvable du moment pour des programmes dégageant un profit suffisant. Quant à la demande « insolvable », elle attendra des aides hypothétiques de l'Etat et des non moins hypothétiques logements « adaptés [13] ».

### Plans, procédures et réalisations

La procédure de l'arrêté des Z. U. P. est trop longue, déclare en substance le rapport. Elle est trop lourde et rigide, eu égard à la « flexibilité de plus en plus souhaitable pour ce genre d'opération ». Quant aux plans d'urbanisme, notamment le « plan masse [14] », ils manquent de souplesse et de capacité d'évolution alors qu'ils devraient permettre des modifications en cours de route. Enfin, la réalisation des logements se voit reprocher son manque de cohérence dans le rythme

---

13. Qui viendront en leur temps... voir chapitre sur la réforme Barre.
14. Qui fixe la configuration d'ensemble de la zone et de ses équipements.

des travaux. C'est le « chantier permanent » : problèmes de financement, de rapports entre les H. L. M. « repoussoirs » et les standings « attrayants » lors de la commercialisation, etc.

Il faut en moyenne plusieurs années entre la décision de création de la Z. U. P. et le début des travaux. Quant à l'achèvement de la Z. U. P. et de ses équipements, la plupart des « zupards » l'attendent toujours !

La réalisation est le plus souvent marquée par la multiplicité des intervenants et la guérilla continuelle qu'ils se livrent les uns contre les autres : municipalités, directions départementales de l'équipement, ministères, établissements publics, architectes, promoteurs, bailleurs de fonds divers, publics ou privés, etc. Les pertes de temps et d'argent qui s'ensuivent s'accompagnent souvent de l'anarchie ou de l'hétéroclite des diverses réalisations internes à une Z. U. P.

Mais, ici encore, la forme du rapport et son refus de recourir à une analyse globale des phénomènes en font une voix de plus dans le concert libéraliste. Pour que la procédure devienne « flexible », pour que les plans soient « souples » et les réalisations homogènes, supprimons donc les oppressantes contraintes étatiques comme les contrôles des collectivités locales et laissons jouer les lois du marché. C'est un des sens profonds de la création des Z. A. C. [15], où les promoteurs concentrent en leurs mains l'ensemble du pouvoir économique et même, de plus en plus, le pouvoir politique. L'Etat et les municipalités ont pour tâche de régler, au profit des promoteurs capitalistes, le problème de la propriété foncière, d'amorcer la commercialisation des zones industrielles et éventuellement d' « aider les insolvables ».

C'est le même genre d' « issue » que l'on trouve aux critiques concernant le financement des Z. U. P., auquel il est reproché — pour ce qui est des subventions d'Etat — d'être souvent décalé par rapport aux réali-

---

15. Zones d'aménagement concerté, remplaçant les Z.U.P.

sations et d'être calculé à partir des coûts prévisionnels et non des coûts réels. C'est donc à la masse des fonds publics [16] que doit incomber la tâche de permettre aux promoteurs d'accélérer la rotation de leurs capitaux et de réaliser les meilleurs profits possibles sans que leurs « coûts » soient contrôlés.

## Les équipements

« Les Z. U. P. dortoirs où l'on s'ennuie, la Z. U. P. éloignée de tout où on est enfermé... Certes, ces stéréotypes ne résisteraient pas toujours à l'épreuve des faits, mais le climat qu'ils entretiennent explique bien des réalités », écrit Agnès Pitrou. En un mot, la Z. U. P. a mauvaise réputation.

Elle n'est pas une bonne publicité pour l'action gouvernementale, elle peut même être un lieu où se fomentent des troubles. On retrouve là certaines critiques formulées par la droite « avancée » du XIXᵉ siècle : les concentrations ouvrières, et aujourd'hui aussi d'employés, sont néfastes à l'intégration des prolétaires dans le giron de la société bourgeoise. Les équipements, notamment les équipements culturels, ne suffisent pas, quand ils sont réalisés, à assurer l'uniformisation idéologique : mal adaptés, ils sont légitimement refusés et désaffectés ; bien adaptés, ils sont pour la droite des « repaires de gauchistes » [17]. L'Etat et les collectivités locales répugnent de plus en plus à payer des animateurs dont ils ne peuvent pas toujours contrôler strictement l'activité. Les appels systématiques de Giscard d'Estaing au bénévolat signifient, au travers du désengagement financier de l'Etat, la mort à court terme de toute animation sociale et culturelle, *a fortiori* de l'animation se situant hors des normes idéologiques bourgeoises.

---

16. Pris ici au sens de ponction sur l'ensemble des revenus, c'est-à-dire, vu la fiscalité française, essentiellement sur ceux des travailleurs ouvriers ou des classes moyennes.

17. Il est significatif à cet égard d'examiner les problèmes que connaissent la plupart des M.J.C. (Maisons des jeunes et de la culture) avec leurs municipalités.

II

_____

Les orientations de la politique actuelle

# 1. Problèmes fonciers et rapports de classes (1815-1975)

## I. Entre chiens et loups

Les conditions historiques de l'arrivée au pouvoir de la bourgeoisie capitaliste, les alliances politiques qu'elles rendirent nécessaires ont marqué profondément son comportement économique pendant près d'un siècle.

A l'image de cette bourgeoisie, le capital financier recherche les placements « sûrs » dans la propriété foncière, renforçant à son tour la contradiction que représente la survivance de cette propriété. Ainsi le Crédit lyonnais, plus grande banque du monde de 1900 à 1913, partage ses investissements entre « mines de fer de Corse, de l'île d'Elbe, puis d'Afrique du Nord, participation à la construction du canal de Suez, achats de domaines en A. F. N. (Maroc) et surtout participations aux prêts à des sociétés d'aménagement urbain (Lyonnaise des eaux, Compagnie du gaz, tramways, nouveaux quartiers de Paris, promotion de luxe sur la Côte d'Azur...), prêts à des villes étrangères [1] ». Incapable d'être un moteur réel de l'expansion industrielle intérieure, le capital financier, s'il quitte parfois le domaine foncier, le fait pour souscrire à des emprunts étrangers ou s'investir dans les activités sûres des monopoles coloniaux.

La contradiction interne à la bourgeoisie entre capital industriel et capital foncier se développe donc à l'avantage de ce dernier. Cette contradiction est d'ailleurs triple.

---

1. *Collectif logement, Marx 1971,* publié par le Secours rouge.

Elle est politique : nécessité pour la bourgeoisie industrielle de s'allier à la propriété foncière, et à la petite propriété paysanne et commerçante ; donc de lui conférer une partie de son pouvoir politique et idéologique, alors que cette propriété constitue un frein à son expansion. Elle est économique entre le capital industriel et le capital foncier : ponctions opérées par le second sur les plus-values réalisées par le premier (rente foncière) et renchérissement de la vie ainsi induit pour les locataires et les agriculteurs, d'où des revendications sociales accrues. Elle est économique entre le capital industriel et le capital financier : le second s'allie dans un premier temps à la propriété foncière pour ensuite la combattre en s'appropriant ses privilèges, au détriment du capital industriel [2].

Si sa victoire après l'écrasement de la Commune procure à la bourgeoisie de longues années de « paix sociale », le mouvement ouvrier relève peu à peu la tête. L' « agitation » est favorisée par l'entassement urbain des travailleurs, qui ne leur permet même plus de reconstituer leur force de travail, et par la croissance industrielle. Cette dernière permet également à la fraction industrielle de la bourgeoisie de modifier en sa faveur les rapports de forces existant au sein du bloc au pouvoir : « A chaque fois, c'est sous la poussée de la classe ouvrière que le capital industriel impose à la propriété immobilière des " réformes sociales " qui correspondent en fait à une résolution de la contradiction secondaire en sa faveur [3]. »

Ainsi la loi Loucheur de 1923 comme la fameuse loi de 1948 sont autant d'attaques dirigées contre le monopole des propriétaires immobiliers, attaques justifiées officiellement par la défense de la propriété ! Mais

---

2. Voir, de manière plus générale, comment le capital financier accélère aux Etats-Unis la baisse tendancielle du taux de profit des entreprises industrielles ; cf. G. Mathieu, « Un nouvel éclairage sur la crise américaine », *Le Monde*, 25-26 mai 1975.

3. A. Lipietz, *op. cit.*, p. 185.

la loi de 1948 va permettre au capital financier aidé par l'Etat de prendre le relais des propriétaires immobiliers qui avaient perdu depuis longtemps le goût et les moyens de construire, préfigurant ainsi le déplacement de la contradiction économique de sa configuration « capital industriel / capital foncier » à sa configuration « capital industriel / capital financier » [4].

Pour le capital financier, il va s'agir d'abattre peu à peu les obstacles à sa liberté d'entreprise, c'est-à-dire aussi bien les règlements d'urbanisme que la propriété foncière elle-même.

A. Lipietz résume ainsi les « déterminations historiques » de la « crise du logement » qui sert d'expression au problème : « D'une part, l'accumulation capitaliste, dans une formation sociale au capitalisme non mûri, provoque un afflux de ruraux vers la ville : d'autre part, la structure sociale de la propriété foncière empêche l'Etat et le capital de prendre en charge l'urbanisation. »

Puis il ajoute : « Cette contradiction entre l'offre et la demande, entre la propriété foncière et le capital industriel, trouve deux types de solution selon le rapport de forces dans l'antagonisme principal :

« Si la classe ouvrière est faible, le patronat l'abandonne aux griffes des propriétaires immobiliers : c'est l'expansion " à la japonaise " où l'accumulation capitaliste s'accomplit au détriment du cadre de vie (cas de l'Italie de 1950 à 1968). Si la classe ouvrière est forte, le patronat doit " soigner " le cadre de vie en écrasant les propriétaires immobiliers et les couches parasitaires : c'est le modèle " suédois ". »

Et de conclure : « La France, jusqu'en 1948, suivait le " modèle français " de reptation industrielle avec crise du logement sous domination idéologique des rentiers. »

Mais la situation se modifie peu à peu une fois la

---

4. Bien que les deux configurations soient toujours simultanément présentes.

reconstruction achevée, et les gouvernements de la Vᵉ République, par leurs ministres de l'Equipement, vont s'attaquer au retard des structures économiques françaises.

C'est d'abord l'action de Pierre Sudreau, ministre de la Construction en 1958, et le rapport Rueff-Armand ; puis le « bail à la construction » de M. Marziol en 1963 et 1964 (accompagné comme chaque fois des tradition-nelles mesures fiscales toujours inopérantes); et enfin le projet de loi d'orientation foncière proposé par le rapport Bordier, repris par le ministre Pisani, et dont seule une pâle ombre fut votée en 1967 par l'Assemblée nationale.

Nous avons déjà parlé de ces différentes réformes et de leurs répercussions. Aucune n'était en mesure de bri-ser la propriété foncière. Entre propriété foncière, capi-tal financier et capital industriel, les contradictions secondaires se développent malgré l'hégémonie crois-sante du capital financier. L'autel de la propriété reste debout et les velléités modernistes des ministres y sont immolées régulièrement par les nécessités de l'alliance avec les propriétaires fonciers et la petite bourgeoisie. Le sol voit s'affronter les différentes fractions de la classe dominante. Curieux combat où chiens et loups s'affrontent tout en devant maintenir leur alliance face à leur ennemi commun : la classe dominée. L'espace est bien devenu le lieu où se développe un des principaux systèmes de contradictions secondaires du capitalisme.

## II. Un pas sur le côté... un pas de l'autre : la valse hésitante du régime actuel

### La quadrature du cercle

Le gouvernement Chaban-Delmas, et son ministre Albin Chalendon à l'Equipement et au Logement, a pour fonction de promouvoir la fraction avancée du capitalisme financier et industriel, dont les conséquen-

ces économiques de Mai 68 et la concurrence euro-
péenne ont accru les avantages par rapport aux fractions « retardataires ». Mais il lui faut compter avec
une Assemblée nationale nouvellement élue par la
« grande peur » de la petite bourgeoisie, et où triom-
phent ces « couches-appui » dont il faut pour le capitalisme avancé liquider le pouvoir économique.

L'objectif prioritaire, c'est de promouvoir l'impératif
industriel. Albin Chalandon va notamment s'attaquer à
la monopolisation de la rente foncière par les propriétaires immobiliers. Objectif : libérer la construction
et les capitaux financiers et industriels de la ponction
opérée par les propriétaires fonciers, favoriser la concentration de ces capitaux. Quatre mesures sont d'abord
prises :

1. Libéralisation du droit de construire par la suppression
des contraintes administratives : il s'agit d'abaisser le
prix des terrains en augmentant l'offre. En fait, par le
relèvement des C. O. S. [5] qui en résulte, la rente s'en
trouve accrue [6], d'autant plus que bien des propriétaires « gèlent » leurs terrains en attendant des heures
plus propices. Une fois de plus, les mesures prises, qui
méconnaissent totalement la nature de la rente foncière
et du terrain (non pas marchandise, mais support à la
fois d'un droit juridique et éventuellement d'une activité),
se révèlent inopérantes.

2. Lutte contre la rente différentielle de situation
sociale [7].

3. Réforme de la production capitaliste du logement :

5. Coefficients d'occupation des sols : ils fixent le nombre
de mètres carrés constructibles sur un mètre carré de terrain.
6. Car le niveau de capital investi sur le terrain augmente.
7. « La différenciation sociologique entre les Z.A.C., à
niveau égal d'équipements " structurants ", risque de perturber
l'égalisation des taux de profit entre les opérations ainsi réalisées. » D'où réintroduction d'une rente différentielle selon la
« qualité sociologique de la Z.A.C. ». Ce qui explique, selon
Lipietz, « la volonté exprimée par le ministère de " lutter
contre la ségrégation sociale ", volonté qui se traduit opéra-
tionnellement par la fixation administrative du dosage des catégories de logement ».

le logement doit pouvoir devenir une véritable marchandise, au même titre qu'une voiture ou une brosse à dents. D'où favoriser la construction en série et dévaloriser les contraintes qualitatives [8] ; et, d'autre part, impulser la concentration et l'intégration verticale de la promotion et de l'industrie du bâtiment, sous l'égide du capital financier.

4. Lutte contre l'émiettement de la propriété foncière : le droit donné aux associations foncières urbaines (c'est-à-dire indirectement aux grands promoteurs) d'exproprier les propriétaires récalcitrants d'un îlot à rénover dont elles détiennent déjà 75 % des parts [9] constitue une des atteintes les plus directes, quoique timide, au droit sacré de la propriété.

Il va sans dire que ces mesures furent régulièrement présentées au public comme devant « limiter la hausse des loyers en limitant celle du prix des terrains ». Cet argument purement démagogique est d'autant plus faux que les mécanismes de la rente foncière font que *c'est bel et bien la hausse des loyers qui entraîne celle du prix des terrains,* et non pas le contraire.

### L'impossible impôt foncier

Le rêve de Chalendon et de la fraction avancée de la bourgeoisie, c'est la collectivisation des sols. Que ce soit également celui d'une large partie de la gauche française montre l'ampleur de la méconnaissance des mécanismes réels, économiques et politiques, de la rente foncière.

Mais une telle collectivisation, qui « liquiderait » la propriété foncière, n'est pas possible dans l'état actuel des rapports de forces au sein de la classe dominante. Chalendon doit se contenter d'en parler à mots couverts. Il reprend alors, en guise d'ersatz à cette impossible

---

8. Par la suppression des normes techniques du logement social, en 1969.
9. Méthode employée dans le 13e arrondissement.

mesure, la vieille idée de l'impôt foncier que Pisani avait déjà proposée.

Nous reparlerons plus loin de l'impôt foncier. Rappelons seulement ici que, après plusieurs modifications du projet, le gouvernement doit battre en retraite devant les protestations des propriétaires fonciers.

Il faut également noter que le capital financier lui-même s'est opposé à l'impôt foncier. Car ce capital recherche son profit partout où il peut le trouver, c'est-à-dire aussi bien comme associé au capital industriel, auquel cas il s'oppose avec lui à la propriété foncière, que comme propriétaire foncier lui-même (ou attributaire de la rente), auquel cas il s'oppose alors au capital industriel. Les vieux penchants du capital financier français pour les investissements non industriels ne sont pas encore morts, et « la tendance du capital financier à se faire propriétaire foncier est une conséquence de l'augmentation de la masse des capitaux libres et de la baisse tendancielle du taux de profit [10]. »

Lénine notait déjà en 1916 : « La spéculation sur les terrains situés aux environs des grandes villes en plein développement est aussi une opération extrêmement lucrative pour le capital financier. Le monopole des banques fusionne ici avec celui de la rente foncière et celui des voies de communication, car la montée du prix des terrains, la possibilité de les vendre avantageusement par lots, etc., dépendent surtout de la commodité des communications avec le centre de la ville, et ces communications sont précisément aux mains des grandes compagnies liées à ces mêmes banques par le système de participations et la répartition des postes directoriaux [11]. »

C'est ainsi que le capital financier, certaines banques disposant de gigantesques « réserves foncières », joue un « double jeu » qui ne fait qu'aggraver les contradictions du bloc au pouvoir.

---

10. A. Lipietz, *op. cit.*, p. 200.
11. Lénine, *L'Impérialisme, stade suprême du capitalisme*, p. 64-65.

Le dernier gouvernement Messmer sonne, avec le glas du régime pompidolien, une longue année (1973) de reculades politiques incessantes de la bourgeoisie avancée face à la petite bourgeoisie archaïste et à la propriété foncière : loi Royer, fronde des petits commerçants néo-poujadistes, etc. Le projet de loi Guichard consacre cette abdication dans le domaine foncier en prévoyant, outre une nouvelle taxe d'urbanisation, qui ne peut que provoquer un relèvement du prix des terrains ou un ralentissement du rythme des transactions, une péréquation des indemnités d'expropriation entre tous les propriétaires d'une zone. C'est accorder une rente même aux propriétaires sur les terrains desquels rien n'est construit. C'est rayer d'un trait de plume tous les efforts antérieurs de la droite moderniste, et consolider la propriété foncière comme jamais elle ne l'a été depuis de longues décennies !

## Giscard ou les espérances du capitalisme avancé

Devant la poussée des forces populaires, regroupées électoralement derrière les drapeaux de l'Union de la gauche, la « peur des partageux » amène en mai 1974 les fractions archaïsantes [12] de la bourgeoisie à confier leur salut à la fraction avancée de la bourgeoisie et du grand capital et à son représentant Giscard d'Estaing.

Le capital moderniste voit pour la première fois son pouvoir politique triompher au sein de la classe dominante. Il peut dévoiler ses projets les plus ambitieux, car Giscard compte bien profiter de la crise pour accentuer la concentration des monopoles impérialistes et liquider les formes archaïques de petites entreprises [13], briser les forces du syndicalisme ouvrier par le chômage et la « peur du licenciement », combattre la propriété foncière en apparaissant aux yeux de la gauche comme

---

12. Propriétaires fonciers, petits commerçants, industriels des P.M.E., etc.
13. Objets des différents plans de Fourcade, alors ministre de l'Economie et des Finances.

défenseur de l'espace et de la lutte contre la spéculation foncière.

La tâche semble d'autant plus facile que la droite moderniste compte bien, par la liquidation des survivances de l'idéologie petite-bourgeoise [14], s'attirer les sympathies d'une partie de l'électorat de gauche. Un tel apport lui permettrait de ne plus avoir besoin de l'appui des propriétaires fonciers.

Fausses prévisions ! La prolongation de la crise conforte la gauche dans son opposition. La querelle des « anciens » et des « modernes » (U. D. R. contre R. I.) démontre à l'Assemblée nationale la force subsistante des premiers : les projets de lois idéologiques s'édulcorent peu à peu. Pas à pas, les ministres reculent devant la hargne petite-bourgeoise. Du coup, la gauche ne reconnaît plus ses enfants dans les bâtards que vote l'Assemblée.

L'alliance avec les « couches-appui » devient à nouveau indispensable à la bourgeoisie avancée. L'histoire du projet de réforme foncière de Galley est à cet égard exemplaire.

A l'origine du projet, on trouve l'ambition de J.-P. Gilli qui, partant de la constatation que « le conflit entre le droit de propriété et les nécessités de l'urbanisation a atteint un point critique [15] », veut limiter la propriété privée en supprimant le droit de construire qui lui est attaché : « Or, la surface n'est rien sans le volume qu'elle est appelée à supporter. Ce qui fait la valeur d'un terrain à bâtir, c'est la quantité de logements ou de bureaux que l'on peut mettre dessus [16]. » Privée de sa dimension principale, la verticalité, la propriété se trouverait réduite à deux dimensions.

C'est aller trop loin : un tel texte ne serait pas voté

---

14. Lois sur l'avortement, le divorce, loi Haby, etc.
15. J.-P. GILLI, *Redéfinir le droit de propriété.*
16. F.-H. de VIRIEUX, dans *Le Nouvel Observateur,* 12 mai 1975.

par les « couches-appui ». Alors Galley recule et, après avoir affirmé que « le droit de propriété qui est dans notre société un gage de sécurité et de liberté des personnes n'est pas remis en cause [17] », il propose une nouvelle variation sur le thème fiscal cher à ses prédécesseurs. Un plafond légal de densité sera fixé (correspondant à un C. O. S. de 1, ou de 1,5 dans la région parisienne), qui pourrait être dépassé moyennant versement d'une indemnité à la commune.

La loi Galley est pour Giscard un relatif échec économique et politique. Mais ce projet de transfert d'une partie de la rente foncière aux mains des communes n'est pas inefficace pour tout le monde.

Il le sera pour la plupart des communes : elles n'ont ni les moyens juridiques et politiques ni les moyens financiers de mener une politique foncière cohérente. Mais certaines ne manqueront pas de se trouver avec les gros promoteurs des intérêts communs : « Une municipalité $x$ offre permis de construire à C. O. S. = 2 avec en prime possibilité autre terrain aménagé bien situé, pour réalisation de logements de standing (peu dense, mais lucrative). » Ce n'est pas la loi Galley qui peut freiner la surdensification des centres urbains.

Nul ne s'attendait à ce que le projet dépossède le capitalisme de la production de l'espace. Car il est faux de prétendre que c'est la maîtrise du « problème foncier » qui permet celle des loyers et de l'espace. C'est parce que le promoteur peut vendre sa marchandise en réalisant un profit suffisant qu'il est prêt à payer une forte rente foncière pour acquérir le sol qui lui permettra ce profit maximum.

Par contre, le projet peut favoriser la concentration des grandes opérations immobilières entre les mains des gros promoteurs et des principaux groupes financiers. A eux les surdensifications juteuses : leurs reins, et leurs prix, absorberont aisément la taxe de Galley.

La loi permettra également que se perpétue la ségrégation sociale de l'espace urbain. Au-delà des

17. Introduction au projet de loi.

escarmouches parlementaires et des concessions faites aux « couches-appui », la loi Galley compte bien constituer un pas en avant — si petit soit-il — vers la « modernisation » en œuvre du capitalisme français : concentration industrielle et hégémonie du capital financier [18].

## III. Pour une stratégie anticapitaliste

*De la social-démocratie au P. C. F.*

Il est significatif de constater que la plupart des réformes foncières proposées par la S. F. I. O., puis par le Parti socialiste, prétendent répondre à la question foncière — voire parfois la résoudre totalement — en n'envisageant le « problème foncier » que strictement en lui-même.

Le thème de ces propositions est celui de la municipalisation des sols, dont Gaston Defferre déposa un premier projet de loi en 1963. Le terme de municipalisation est d'ailleurs partiellement impropre, car il est prévu que l'Etat ait les mêmes possibilités que les collectivités locales. Cette proposition Defferre repose sur quatre principes :

— la maîtrise du sol est pour la puissance publique, Etat, collectivités locales, une nécessité et un préalable indispensable ;

— la puissance publique doit pouvoir, suivant ses besoins, appréhender les terrains par des procédures individuelles ou collectives ;

— l'indemnité attribuée au titulaire du droit réel sur le terrain doit être estimée à la valeur d'usage [19]

18. Ces derniers paragraphes ont fait l'objet d'une précédente publication, « Autour de la loi Galley », in n° 3 de la revue *Place,* 12 rue des Fossés-Saint-Jacques, 75005 Paris.
19. Mais comment déterminer *ex ante* cette valeur ? On sait quels sont les résultats des politiques d'expropriation...

(cas d'expropriation d'un terrain par la puissance publique) ;

— la rétrocession pour une utilisation publique ou privée de droit réel sur un terrain qui appartient à l'Etat ou à une collectivité locale ne peut se concevoir que limitée dans le temps et dans son objet.

De telles mesures, qui sauraient tout au plus lutter contre la spéculation dans les centres urbains, n'ont strictement rien d'anticapitaliste, comme d'ailleurs toute mesure visant à limiter ou à supprimer la propriété foncière. Elles peuvent même aller dans le sens des intérêts de la fraction avancée du capital. Car la rente foncière n'est pas produite dans un rapport d'exploitation et de production, elle n'apparaît qu'au stade de la répartition de la plus-value.

Aux côtés de certains U. D. R., le P. S. proposait également — lors du débat parlementaire sur la loi Galley [20] — la création d'un impôt foncier. Revenons sur ce problème de l'impôt foncier.

Tout d'abord, il ne s'agit pas d'un impôt sur le capital : fixé à 1 % de la valeur vénale du terrain comme le propose M. Fanton, ou à 2 % comme le souhaiterait M. Dubedout, il n'entamerait guère que le revenu potentiel du propriétaire et non son capital (la valeur vénale du terrain s'accroît en effet de plus de 2 % par an). Mais ces taux ne gêneraient pas les sociétés financières, qui les incluraient dans leurs prix de vente. Des promoteurs se sont d'ailleurs prononcés récemment en faveur d'un impôt foncier qui pousserait les propriétaires à se défaire de leurs terrains, ce qui permettrait aux premiers de se les procurer. Un tel impôt ne ferait que favoriser la concentration des terrains et des capitaux.

Le P. S. présente cet impôt comme devant permettre une municipalisation « en douceur » des sols urbains. Dans cette municipalisation, le capital financier de pro-

---

20. Octobre 1975.

motion peut trouver son compte. Son but est en effet, par la suppression des propriétaires fonciers, d'être à même de s'approprier en partie ou en totalité la rente foncière, ce qu'il peut faire sans avoir à devenir lui-même propriétaire du terrain, comme le montre sa préférence pour les baux à 99 ans ou moins sur les terrains « zupés » ou « zadés ».

On ne met pas fin aux problèmes du logement et de l'aménagement de l'espace en retirant le « facteur foncier » de l' « économie de marché ». Le P. S., pas plus que la droite, ne met véritablement en cause l'utilisation capitaliste des sols et le mode de production capitaliste de l'espace urbain. Car c'est bien là que se situe le problème. Les projets giscardiens comme ceux du P. S. aboutissent au même résultat : faire constituer par les communes et l'Etat les réserves foncières dont ont besoin les promoteurs.

C'est bien dans la production capitaliste de l'espace, élément de l'ensemble du mode de production capitaliste, qu'il faut rechercher les causes des « problèmes urbains » et découvrir leur formation. C'est pourquoi le P. C. propose fort justement de faire précéder toute mesure foncière par une réorganisation d'ensemble de la production du logement et du bâtiment en général.

Le « fort justement » s'arrête là. Le numéro de septembre de la revue *Economie et Politique* présente l'analyse de plusieurs de ses rédacteurs et leurs propositions en matière d'espace urbain et de problèmes fonciers.

L'analyse visant tout entière à soutenir la théorie du « capitalisme monopoliste d'Etat », masquant l'existence et la nature des contradictions internes à la classe dominante, défend pêle-mêle locataires, petits propriétaires et petites et moyennes entreprises du bâtiment contre le grand capital monopoliste. Les services publics et les offices de H. L. M. sont les victimes quasi innocentes de ce grand capital. Profitons-en pour rappeler que la S. C. I. C. et les O. P. H. L. M. fonctionnent de plus en plus à la manière de leurs homologues privés.

113

Il s'agit là d'un processus de plus en plus clair d'accumulation du capital public. Quant au problème du contrôle des organismes publics par les travailleurs, il est superbement ignoré dans ces articles.

Les projets d' « extension et de démocratisation du secteur public », de « nationalisation démocratique du secteur bancaire et financier » ne modifient rien, dans la pratique du P. C., à la coupure existant entre les travailleurs et leur espace.

Pour le reste, les mesures préconisées à moyen et long terme se divisent schématiquement en deux groupes :

— un ensemble de mesures foncières (expropriation, droit de préemption, mesures fiscales de taxation des plus-values) et de mesures concernant les loyers (plafonds) et les normes de construction ;

— un ensemble de mesures codifiant les rapports du secteur public avec les promoteurs ou entrepreneurs privés. A propos de ce secteur privé, Balkan et Choubersky écrivent froidement dans ce même numéro d'*Economie et Politique* : « Il importera donc d'orienter son activité conformément aux objectifs démocratiques, tout en reconnaissant son caractère capitaliste. » Ce dont ils ne parlent pas, c'est de la course effrénée à l'accumulation du capital qui en résultera entre le secteur public et le secteur privé.

Rien dans tout cela ne révèle une quelconque stratégie de rupture anticapitaliste dans la production de l'espace et du cadre bâti.

*Tactique et stratégie*

Dans toute proposition ou action politique ou syndicale, il importe essentiellement d'établir une claire distinction entre les projets susceptibles de constituer la base d'une lutte révolutionnaire et anticapitaliste d'une part, les action susceptibles à court ou moyen terme de « préparer le terrain » — sur la base de revendications réformistes — à une conscientisation et à une lutte révolutionnaire d'autre part.

C'est ainsi qu'une stratégie anticapitaliste dans le

domaine du logement ne peut pas ignorer les principes suivants, ou en mésestimer la portée :

— la lutte contre la propriété foncière, pour la municipalisation et l'étatisation des sols, n'est pas en elle-même anticapitaliste ;

— le terrain n'est pas une marchandise : il n'est pas produit, aucune valeur-travail n'est comprise dans sa valeur ; le logement, par contre, en est de plus en plus une ;

— la rente foncière n'apparaît qu'au niveau de la répartition de la plus-value et de la circulation du capital ;

— la relation locataire/propriétaire n'est pas un rapport d'exploitation [21] : « Il s'agit là d'une simple vente de marchandise, non d'une affaire entre prolétaire et bourgeois, entre ouvrier et capitaliste ; le locataire — même s'il est ouvrier — se présente comme un homme qui a de l'argent ; il faut qu'il ait déjà vendu la marchandise qu'il possède en propre, sa force de travail, avant de se présenter, avec le prix qu'il en a retiré, comme acquéreur de la jouissance d'un appartement [...]. Tout ce qui caractérise la vente de la force de travail au capitaliste manque ici totalement [...]. Quels que soient les avantages exorbitants que le propriétaire tire du locataire, il n'y a jamais ici que le transfert d'une valeur déjà existante, produite auparavant [22]... »

La signification de ces principes est claire : si l'on appelle lutte révolutionnaire du prolétariat l'ensemble de ses combats « primaires », c'est-à-dire se situant au niveau des rapports de production et d'exploitation capitalistes et ayant leur destruction pour objectif, toute lutte se situant au niveau du logement, de l'espace

---

21. Le mot d'exploitation étant pris ici à son sens strict : exploitation de la force de travail de l'ouvrier par le capitaliste.

22. F. ENGELS, *La Question du logement, op. cit.*, p. 28 et s.

115

ne peut être qu'une « lutte secondaire » tant qu'elle ne se situe pas directement au niveau des rapports de production dans la production capitaliste du logement.

Ce phénomène est renforcé par le fait que, comme le notait déjà Engels en 1872, la crise du logement n'est pas spécifique à la classe ouvrière. Cette situation s'accentue d'ailleurs de plus en plus, car si la « crise du logement » est maintenant en partie résorbée quant à son aspect quantitatif, la « question du logement » touche sous sa forme actuelle une fraction de plus en plus grande de la population [23].

Il serait radicalement faux de transformer pour autant l'expression « lutte secondaire » en « lutte d'importance secondaire ». Le faux sens est évident. Car les « limites » d'une lutte sur les problèmes afférant au logement et à l'espace portent également sa signification et sa portée. L'espace constitue un des lieux privilégiés où une alliance de classes peut s'établir sur la base d'une action collective. Il renferme en effet un certain nombre de « portes » de première importance, ouvrant la voie à une conscientisation radicalisée des problèmes capitalistes : division de l'espace, logement et travail, transports, consommation dirigée, les femmes dans l'espace urbain, etc., sont autant de thèmes d'action et de réflexion offrant des débouchés réels sur une action anticapitaliste. Encore faut-il que ces luttes puissent être mues et « orientées » par la classe ouvrière.

Nous retrouvons là une des significations de l'expression que nous avons déjà définie : « La " production " de l'espace renferme un des principaux systèmes de contradictions secondaires du capitalisme. »

Encore faut-il parfois savoir jouer sur les contradictions sociales et/ou économiques entre les différentes fractions de la classe dominante et de ses « couches-

---

23. Quand bien même elle prend des formes différentes d'une couche sociale à une autre.

appui ». L'application des mesures préconisées par le P. S. et le P. C. F. pourrait en ce sens, et bien au-delà de leurs propres objectifs, constituer un « pas en avant »... en suscitant, par la démonstration pratique de leurs insuffisances, une intense mobilisation populaire.

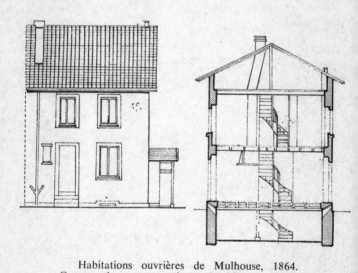

Habitations ouvrières de Mulhouse, 1864.
Groupe de quatre maisons (architecte, Muller) :
« Prix de revient : 9 326 F. Prix annuel de location : 187,50 F. »
« Le locataire devient popriétaire au bout de quinze ans
en payant 6 F de plus par mois. »
« Les 120 mètres du jardin rapportent 60 F de légumes par an,
évalués au prix de la halle. »

# 2. Du néo-proudhonisme
# à la consommation dirigée

L'histoire du logement de la classe dominée est l'histoire de sa désappropriation. Une solution à la question du logement ne peut-elle pas être trouvée dans l'accession à la propriété offerte à tous ? Les vœux de l'immense majorité de la population, nous dit-on en effet, se tournent vers l'accession à la propriété. Qu'en est-il réellement ? Ce désir de nombreux Français est-il inhérent à la nature humaine, ou n'est-il pas plutôt façonné, orienté, suggéré par un capitalisme qui compte y trouver la satisfaction de ses propres besoins ? Ses objectifs sont de trois ordres : idéologique (devenez propriétaire), économique (le logement doit devenir une véritable marchandise) et encore économique (le logement est le structurant idéal de la consommation). Nous sommes loin des besoins réels de la classe dominée.

## I. Devenez propriétaire : un long conditionnement

Nous avons vu dans la première partie quelle avait été l'histoire de la propriété foncière depuis l'avènement du mode de production capitaliste. Nous n'y reviendrons pas ici. Mais essayons cependant de fixer une sorte de photographie foncière de la France d'aujourd'hui.

Le développement et la concentration du capitalisme ont précipité vers la ruine et la prolétarisation la petite et moyenne bourgeoisie et la paysannerie parcellaire. Mais ces couches sont restées « propriétaires ». Ainsi la propriété foncière est actuellement en France le lot de toutes les couches sociales (30 millions de parcelles réparties entre 10 millions de propriétaires, 46 % des Français sont propriétaires de leur logement), bien que de manière fort inégale.

La propriété des sols est très morcelée. A Lyon, par exemple, 46 % des propriétés ne représentent qu'une maison et un jardin. La propriété urbaine tend à se disperser en lotissements, millièmes de copropriété, etc. Grossièrement, le sol des villes centrales est la propriété des vieilles couches bourgeoises (bourgeoisie moyenne des rentiers immobiliers) ou est dispersé entre différentes couches sociales en copropriété ; dans la périphérie urbaine immédiate (lotissements), le sol est à n'importe qui, ouvriers et cadres, selon les sites.

Droit juridique hérité d'un mode de production révolu, la propriété foncière, généreusement partagée, marque encore profondément l'idéologie française. Elle a gardé le caractère personnel du fief : « Vendre ce que vos parents vous ont laissé est anormal. »

Dans ces conditions, le développement capitaliste sous la forme de croissance urbaine est perçu comme une menace. Le sol est « la dernière parcelle d'indépendance face à la vie moderne ». L'activité des promoteurs et de leur « complice », l'administration, est perçue comme effet du « collectivisme ambiant ». Cet antagonisme se redouble en France de l'hostilité d'une fraction de la petite bourgeoisie envers la croissance. Cette idéologie caractéristique imprègne d'ailleurs largement la classe ouvrière : les programmes d'aide à l'accession sont en partie faits pour intégrer cette classe au mode de penser de la petite bourgeoisie.

Cette intégration est recherchée depuis les débuts du libéralisme triomphant. La maison individuelle ne constituerait-elle pas la solution idéale au problème du logement ? Celle où l'initiative privée pourrait donner toute sa mesure et retirer de son action un bénéfice politique et économique considérable ?

L'industrie va, la première, profiter de cette tendance

et l'exploiter à son profit. Les cités ouvrières lui permettent d'attacher l'ouvrier à l'usine plus étroitement. A la sujétion brutale du propriétaire se substitue celle, plus insidieuse, paternaliste, du « patron-Janus », fournisseur du travail et détenteur du logement. A Hérimoncourt (Doubs) « les chefs d'établissement font aux ouvriers reconnus honnêtes et laborieux des avances de fonds pour construire de petites maisons et établir leurs familles ; ces avances sont recouvrées sur le fruit du travail [1] ». La Compagnie des mines d'Anzin vend des logements payables par annuités. A Beaucourt, les Etablissements Japy agissent de même. Ailleurs, l'Etat octroie aux industriels une aide financière qui permet aux ouvriers de devenir propriétaires en quinze ans. De nouvelles sujétions apparaissent. Ici, les futurs propriétaires doivent cultiver leur jardin de leurs propres mains, envoyer leurs enfants à l'école confessionnelle, s'abstenir de contracter une dette quelconque, ou encore faire chaque semaine un dépôt à la Caisse d'épargne et cotiser à une société mutuelle. Là, les candidats propriétaires sont sélectionnés.

La propriété est considérée comme un facteur essentiel de moralisation de la classe ouvrière. C'est Droulers qui note : « Un ouvrier propriétaire fréquente rarement les cafés et les cabarets. Il a hâte, sitôt son travail terminé, de rentrer chez lui et il consacre tous ses instants de liberté à l'entretien et à l'amélioration de sa maison, de son jardin ; il donne tous ses loisirs aux soins de sa famille. »

Quant au rapporteur de la commission du logement du conseil municipal de Paris, il déclare : « Nous croyons que l'idée de posséder un jour la propriété qu'elle occupe moraliserait la population et lui donnerait un vernis (sic) d'honnêteté, d'esprit de famille, de prévoyance, qui tendrait à faire disparaître bien des

_____

1. Cité par G. Duveau, *La Vie ouvrière sous le Second Empire.*

utopies qui hantent certains cerveaux d'abstracteurs du socialisme révolutionnaire [2]. »

Jules Siegfried lie très franchement les deux données : « Nous voulons dissiper les préjugés et montrer à ceux pour lesquels la vie est difficile qu'il ne doit pas y avoir lutte entre la pauvreté et la richesse. Nous savons que ces sentiments n'existent que trop souvent et nous voudrions les voir disparaître. Un des meilleurs moyens de le faire, c'est de faciliter à chacun, dans les campagnes comme dans les villes, la possibilité de devenir propriétaire [3]. »

Quoi de mieux en effet que cette maison individuelle qui favorise le repliement sur soi-même, le retrait de la vie sociale, dans ce qu'on appelle « l'absolue indépendance des familles [4] ».

En outre, la propriété favorise l'épargne et permet de contrôler l'utilisation par les ménages de leur budget : « Dans l'état actuel de la société occidentale et en dehors de quelques populations modèles, il n'existe pas un ouvrier sur dix qui, devenant tout à coup possesseur d'une somme d'argent, ait assez d'empire sur lui-même pour la conserver intacte et pour se contenter du surcroît d'aisance produit par le placement judicieux de cette somme. Une philanthropie exagérée, en excitant d'insatiables appétits, provoquerait donc la dégradation des classes ouvrières. La propriété foncière est une terre de Chanaan à laquelle on ne peut arriver qu'après une longue suite d'épreuves [5]. »

L'ordre par la propriété est à l'ordre du jour. Le président de la chambre syndicale des propriétaires de Paris écrit : « Durant plus d'un siècle, la propriété privée fut une base de la société française [...]. Dans un

---

2. Rapport au conseil municipal de Paris, 1898.
3. Jules SIEGFRIED, *Les Cités ouvrières*, 1877.
4. *Bulletin de la Société industrielle de Mulhouse*, septembre 1851.
5. F. LE PLAY, *La Méthode sociale*.

pays, la persistance des situations moyennes provoque la formation d'une classe moyenne, pondérée dans ses ambitions, nationale pour tout ce qui la préoccupe, une classe dont les intérêts sont intimement liés aux intérêts généraux du pays, également prête à réprouver les excès politiques quelle qu'en soit la tendance [...]. Or, rien n'est plus propre à lui donner la force que la propriété foncière [...]. Le moellon n'est pas seulement le matériau des immeubles, il est aussi l'un des supports de l'ordre social dans un pays libre [6]. »

En 1833, le comte Yvert veut substituer « l'autorité patriarcale découlant de la propriété » à « la tyrannie qui impose le suffrage du nombre [7] ».

Ces textes mettent à nu l'idéologie bourgeoise. On pourrait croire qu'il ne s'agit là que d'anachronismes. Pourtant, un rapporteur déclare au congrès de la propriété immobilière tenu en juillet 1966 à Montpellier : « Le propriétaire est, par son sens des responsabilités, par sa mission sociale, un super-citoyen. Alors pourquoi ne pas lui offrir une deuxième voix dans le cadre d'un système de vote multiple, et pourquoi ne pas revenir à la conception du décret du 2 décembre 1852, article 6, et retirer le droit de vote à tous ceux qui critiquent la propriété privée [8] ? »

L'habitat pavillonnaire façonne un type de comportement et crée en quelque sorte un modèle d'homme social : « Les familles qui vivent en pavillon sont souvent repliées sur elles-mêmes, épuisées par les sacrifices qu'il a fallu faire pour construire la maison, ne s'intéressant que médiocrement à la vie publique, plus coupées de l'action syndicale dans l'entreprise, etc. Elles sont plus attachées aux survivances d'une structure patriarcale, plus dépendantes des influences traditionnelles, moins éloignées de la vie rurale. Le développe-

6. Traité de Varreux, *La Question des loyers,* 1937.
7. Comte Yvert, *L'Autorité et la Propriété,* 1883.
8. Congrès de l'Union nationale de la propriété immobilière, rapport général de M. Veaux, cité par *Le Nouvel Observateur* du 13 juillet 1966.

ment des pavillons a donc des conséquences très importantes sur l'orientation des transformations sociales et sur la vie politique d'une nation [9]. »

Cette orientation est toujours actuelle et cadre fort bien avec le caractère farouchement individualiste de la théorie libérale. Cependant, il n'est pas possible d' « offrir » à chacun son pavillon et son bout de terrain. Mais le mécanisme joue de la même manière pour l'accession en copropriété.

Engels, le premier, a pourfendu les chantres de la maison individuelle. Certes, il n'est plus possible de dire que personne n'a jamais découvert chez les travailleurs « la nostalgie de la propriété foncière », et ce « grâce » aux progrès indéniables de l'idéologie bourgeoise. Cependant, la polémique qu'il engage dans *La Question du logement* lui donne l'occasion de mettre l'accent sur des phénomènes dont la résonance est, à notre avis, toujours actuelle. Répondant à M. Sax, il écrit :

« Pour créer la classe révolutionnaire moderne du prolétariat, il était indispensable que fût tranché le cordon ombilical qui rattachait au sol les travailleurs du passé. Le tisserand qui possédait à côté de son métier sa maisonnette [...] tirait son chapeau devant les riches, les curés et les fonctionnaires de l'Etat et était au fond de lui-même 100 % un esclave. C'est la grande industrie moderne qui a fait du travailleur rivé au sol un prolétaire ne possédant absolument rien, libéré de toutes les chaînes traditionnelles, libre comme l'air ; c'est précisément cette révolution économique qui a créé les conditions qui seules permettent d'abolir l'exploitation de la classe ouvrière sous sa forme ultime, la production capitaliste [...]. En d'autres termes, M. Sax espère que, grâce au changement social que devrait entraîner l'acquisition d'une maison, les travailleurs perdront également leur caractère et redeviendront dociles et veules

9. P.-H. Chombart de Lauwe, *La Vie quotidienne des familles ouvrières,* Ed. du C.N.R.S.

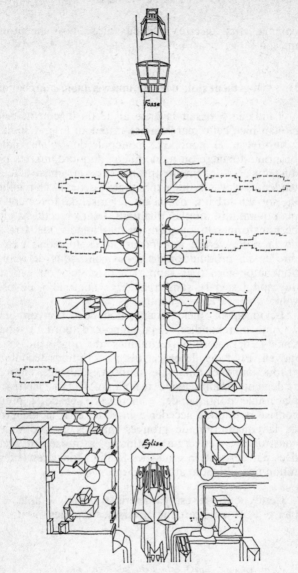

Cité des Brebis (Mazingabe).
Cette cité ouvrière s'organise autour d'un axe industriel :
administration des Houillères, église, entrée de la mine.
De la même manière, à Noisiel (cité de M. Meunier)
l'axe institutionnel relie l'hospice à l'usine.
(*In A.M.C.*, n° 35, décembre 1974.)

comme leurs ancêtres qui, eux aussi, possédaient une maison [10]. »

## II. Le logement doit devenir une véritable marchandise

Tant que sévissait la crise aiguë du logement, celui-ci était bien cette marchandise rare dont le prix se fixait à un niveau de monopole, monopole dont bénéficiait la propriété foncière ou immobilière. Aujourd'hui, les producteurs du logement (promoteurs et constructeurs) tendent à devenir des exploitants puissants et réguliers du sol périurbain, déplaçant la crise du logement du plan quantitatif au plan qualitatif. Leur objectif est alors de transformer le logement en marchandise débarrassée de la rente versée aux propriétaires fonciers, c'est-à-dire en un produit soumis à des conditions de réalisation autonomes (par rapport à la circulation générale du capital social), sans transfert « anormal » de plus-value d'un secteur à l'autre [11].

Le logement, même social, doit donc pouvoir devenir une marchandise. Cela suppose d'abord un abaissement des normes techniques du logement social moyen. En 1969, le cahier des prescriptions techniques et fonctionnelles minimales unifiées est abrogé, conservé seulement comme guide technique. Il faut mettre en place une politique de « modèles » et de « prêt à construire » pour accéder à la série, et à la recherche de la constitution de groupes intégrés de promotion-construction d'envergure nationale, à qui seront accordées par dérogation toutes les facilités foncières (substitution des concours aux adjudications).

Cette politique est caractérisée par l' « aide à la pierre » et une certaine diversification des modes de

---

10. F. ENGELS, *La Question du logement, op. cit.*
11. On considère généralement comme « normaux » les transferts qui assurent la péréquation du taux de profit.

financement public [12], en particulier le développement de primes et prêts spéciaux du Crédit foncier, qui présentent le double avantage d'offrir au capital privé la possibilité de taux de profit plus élevés par association avec ces capitaux sous-rémunérés et de drainer vers l'immobilier une épargne importante sous la forme de l'incitation à l'accession à la propriété.

D'une aide orientée vers la fourniture d'une valeur d'usage visant à abaisser d'une façon générale le coût de reproduction de la force de travail, on passe à une aide à caractère sélectif qui permet au capital privé de se valoriser comme capital de circulation dans l'immobilier. L'élévation relative du coût de la reproduction de la force de travail qui peut en résulter est refoulée vers les salaires. L'indice servant à calculer le S. M. I. C. a retenu comme logement type du français moyen un appartement d'environ 50 m² de catégorie 3A, ce qui permet dans les indices officiels de ne tenir compte que des dépenses minimes : la part du loyer n'est respectivement que de 3,3 %, 2,35 % et 5,55 % dans les trois principaux indices. Ainsi il est possible de peser sur les salaires. Comme 40 % des familles françaises sont propriétaires de leur logement, et que la plupart d'entre elles supportent des charges d'emprunt considérables, l'incitation à l'accession à la propriété est un bon moyen de diminuer la masse salariale en truquant les indices du coût de la vie. Les dépenses logement ne sont pas comptabilisées à leur juste prix dans le budget type d'une famille ouvrière.

D'autre part, l'accession à la propriété augmente nettement dans l'immédiat le coût de reproduction de la force de travail. Mais plus tard celui-ci diminue,

12. Comme le fait remarquer E. Préteceille, dans *La Production des grands ensembles,* on peut penser que cette diversification vient, au moins en partie, du fait que la crise du logement ne touche pas seulement la classe ouvrière, mais concerne plus généralement les travailleurs salariés et une partie de la petite bourgeoisie : elle concerne donc des couches sociales qui ont une « solvabilité » supérieure à celle de la classe ouvrière.

une fois le logement payé, les emprunts remboursés, du fait de la quasi-gratuité du logement. Mais à quelle époque de la vie du travailleur cela se produit-il ? La plupart empruntent sur vingt-cinq ans et ne peuvent accéder à la propriété qu'après avoir économisé suffisamment pour payer l'apport personnel. La retraite n'est pas loin quand le logement est entièrement payé. A ce moment-là, le travailleur est propriétaire d'une marchandise doublement dévaluée : la valeur d'usage n'est plus la même ; ses enfants éloignés, le couple se trouve dans un logement trop grand pour ses besoins. Quant à la valeur d'échange, quelle est-elle au bout de vingt-cinq ans, alors que les normes techniques ont été calculées au plus juste au moment de la construction ?

Dans la production de la marchandise logement, l'intérêt du promoteur est de construire et de revendre vite ce dernier, fraction de propriété du sol comprise ; il est donc de développer l'accession à la propriété, qui accroît la vitesse de rotation du capital.

L'intérêt général du capitalisme est cohérent avec ce projet : l'accroissement du taux de profit par accélération de la rotation du capital est dans la ligne de la « société de consommation dirigée ». Le problème de la réalisation du capital marchandise est ainsi transformé en un problème de crédit pour le consommateur. La tendance générale de la propriété foncière urbaine est donc le morcellement. Cette solution ne peut qu'aggraver le problème foncier, car elle reproduit par sa nature même l'appropriation privée du sol.

### III. Le logement, pôle structurant idéal de la consommation

« Quand le capitalisme doit s'habituer à compter avec des crises cycliques généralisées (et non locales) et avec une classe ouvrière qui s'organise, la question du moratoire des loyers risque de se poser à chaque crise et la grève des loyers peut devenir tout simplement endémique (comme de nos jours en Italie). Cela ne gêne guère économiquement le capitalisme, mais c'est idéologiquement et politiquement du plus mauvais effet, car cette revendication précise est un germe de solidarisation et d'autonomisation de la classe ouvrière. Mieux vaut tisser patiemment les fils invisibles capitalistes, qui à chaque grève mettent l'ouvrier individuel en contradiction avec sa classe : le crédit, les traites pour l'auto, la télé, le réfrigérateur, et finalement les mensualités d'accession à la propriété du logement. Tout cela passe par la " colonisation de la vie quotidienne ", colonisation dont le pôle structurant est précisément le logement.

En effet, les consommateurs tendant à devenir dans leur grande majorité des prolétaires, on se trouve devant une contradiction manifeste : plus on restreint le salaire des travailleurs, plus grand est le taux de profit théorique, mais moins on peut écouler de marchandises. L'expansion qui a suivi Mai 68 confirme le raisonnement de Marx. " Les capitalistes les plus clairvoyants préconisent donc une politique de " hauts salaires ". Mais ces "hauts salaires " ne doivent pas compromettre la reproduction des rapports sociaux. Ils doivent être effectivement consommés. Le plus sûr est qu'ils soient consommés avant d'être perçus. La consommation doit être strictement dirigée. L'élargissement du marché intérieur peut donc être assuré, entre autres, par l'élévation progressive et contrôlée du niveau de consommation des classes laborieuses " [12]. »

Le capital variable employé à payer la force de travail ne détermine plus seulement le taux de profit, il détermine aussi le volume du profit.

« En tant qu'objet et cadre matériel, le logement ne peut plus être isolé d'autres marchandises dont il est le support et auxquelles il est lié (meubles, appareils, auto). Il se crée un sous-système de consommation qui utilise une forte part du salaire et dont le logement est le pivot structurant, [il est le pôle] où vient se régler,

---

12. COLLECTIF LOGEMENT, *op. cit.*

se définir et se limiter l'usage que font les producteurs de l'espace du temps en système capitaliste [13]. »

Le propriétaire, beaucoup plus que le locataire, se trouve impliqué dans ce système de consommation. Son logement est le résultat de nombreuses années d'économies et d'efforts. Il se sent donc poussé à investir pour « l'embellir » (meubles, appareils ménagers, décorations diverses, etc.).

Finalement, l'augmentation des charges du logement, entraînant une pression sur les salaires, accroît le coût de la reproduction de la force de travail. Le but du capital industriel est donc de rentabiliser ce coût supplémentaire (la reproduction de la force de travail ne se limitant plus aux besoins strictement vitaux) en utilisant tout le système de la consommation autour du logement.

Le logement est également pôle structurant de la consommation sociale. Les centres commerciaux constituent généralement l'élément principal du centre du grand ensemble, censé constituer le « noyau dense, animé, vivant » de l'opération. C'est donc un élément tout à fait primordial du programme d'ensemble, et c'est bien souvent autour de lui qu'est organisée spatialement l'opération, vers lui que convergent les voies de circulation pour piétons et automobiles, les densités d'habitations étant réparties également en fonction de sa localisation.

Ce lieu de la consommation (centre commercial ou autre) présente deux aspects. C'est d'abord un lieu de passage obligatoire, point focal de la circulation. C'est aussi un lieu qui enseigne que toute activité ne peut donner lieu qu'à la consommation, l'animation ne pouvant se faire qu'autour du centre commercial et par lui [14].

---

13. *Ibid.*
14. Le cas des villes nouvelles (Evry, Cergy) est typique. Il était prévu de relier, à Cergy, le centre culturel et le centre commercial en rendant insensible le passage de l'un à l'autre pour amener les gens à « consommer du culturel ».

De plus, il est en situation monopolistique. Aussi, si les commerces alimentaires vendent parfois « à prix réduit », presque tous les autres commerces vendent à des prix souvent gonflés. Le type même de ces commerces renforce une image de consommateur, celle du cadre moyen, même si l'immense majorité de la population ne correspond pas à la réalité de cette image.

Les réalisations actuelles marquent le point d'arrivée d'une lente évolution. Au départ, le logement est directement lié au lieu de production ; aujourd'hui, il est directement lié au lieu de consommation.

# 3. Le nouvel humanisme du capitalisme avancé

## I. Les orientations de la nouvelle politique du logement

Nous avons déjà rappelé les objectifs de la fraction la plus avancée du capitalisme au lendemain de Mai 68.

Afin de promouvoir au mieux l' « impératif industriel », l'Etat se désengage de la construction des logements sociaux. Elle subira une perte de 20 % entre 1960 et 1974. Mais il n'est pas possible d'aggraver par trop la crise du logement sans risquer un large mouvement de revendications. L'Etat demande alors au secteur privé de prendre le relais : « J'insiste sur le fait que les professionnels doivent travailler de plus en plus pour la masse des Français, et non pour les seules catégories sociales aisées », déclare Albin Chalendon, alors ministre de l'Equipement et du Logement.

Pour cela, il faut faciliter la production industrialisée du logement marchandise et sa commercialisation à un prix permettant de garantir aux promoteurs et aux constructeurs un profit suffisant. L'Etat favorisera cette mutation en stimulant les mécanismes économiques et financiers, en adaptant, voire même en supprimant, les contraintes réglementaires qu'il s'était lui-même données.

Une demande solvable potentielle existe, en provenance essentiellement des couches moyennes de la population (employés, cadres moyens). « Le logement, qui était un bien familial, a tendu à devenir un produit industriel. Heureusement, de nouvelles formes urbaines se créent actuellement en France, en réaction contre les grands ensembles et les lotissements : ce sont les " nouveaux villages " où se mêlent des maisons individuelles et des petits collectifs, où se rencontrent les enfants et les personnes âgées [1]. »

Il s'agit désormais de faire un urbanisme à l' « échelle humaine ». Pour le pouvoir, ce type d'habitat présente des avantages non négligeables :

— au niveau politique : la tentative d'intégration sociale confirmera le rôle de la petite bourgeoisie en tant que base idéologique de masse de la politique bourgeoise, après la disparition de la paysannerie (restructuration capitaliste de l'espace agricole) ;

— au niveau économique : indépendamment du marché du logement proprement dit, les retombées induites par ce type d'habitat (en ce qui concerne sa localisation, sa densité) seront importantes notamment par la forte consommation de biens d'équipements ;

— au niveau social : les contraintes liées à ce type d'habitat (remboursement des traites, paiement des charges, frais de transport) ont pour effet une intégration sociale accrue des nouvelles couches de travailleurs, ceux-ci recherchant alors une stabilité de leur emploi ainsi qu'une promotion professionnelle émoussant singulièrement leur combativité.

Le rôle de contrôle social exercé par la cellule familiale sur les jeunes sera renforcé. Contrôle social qui était de moins en moins bien assuré dans le cadre des grands ensembles (naissance de bandes de jeunes menant une certaine vie autonome, incontrôlée).

Une intense propagande lie l'idée de logement à celle de sécurité. Le Français doit chez lui se sentir une âme de C. R. S. Citons à ce propos la vaste campagne lancée en 1976 par le ministre de l'Intérieur sur le thème : « vous n'êtes pas en sécurité chez vous », et financée... par les industriels fabricants de verrous de sûreté et de portes blindées.

---

1. Giscard d'Estaing au *Point,* 7 avril 1975.

Pour favoriser l'expansion de la construction privée, l'État interviendra par des « aides au secteur non aidé » : prêts immobiliers divers (crédit agricole, épargne-logement, etc.), exonérations fiscales pour la clientèle des promoteurs et des banques, etc. Dans certains cas, ces aides seront même proportionnelles aux revenus.

Mais toutes les couches sociales ne peuvent prétendre participer à la consommation marchande. Dans la conjoncture actuelle du capitalisme, une forte proportion de ménages n'est pas solvable économiquement (38 % ont des revenus inférieurs à 15 000 F par an). Ils ne peuvent prétendre avoir accès au libre jeu du marché du logement. Cependant, cette main-d'œuvre indispensable pour la survie du système doit être logée. L'État continue de prendre en charge ce secteur, pour le moment non rentable. Il s'agit ici de construire des logements de qualité minimum. Entre 1968 et 1970, le nombre de logements P. L. R. et P. S. R. passe de 9 500 à 36 300, alors que la construction de H. L. M. ordinaires diminue (118 500 en 1968, 73 800 en 1970). Le chiffre global de logements aidés est, lui aussi, en diminution. L'abaissement du coût de construction entraînant une baisse de la qualité des logements sociaux est justifié idéologiquement, en faisant référence là aussi aux valeurs rurales du passé : logement sans luxe inutile, facile d'entretien, économique, « une conception solide et rustique ». Des responsables d'organismes de H. L. M. déclarent froidement qu'il faut apprendre progressivement aux « catégories socialement difficiles » à utiliser « convenablement » leur logement, en leur fournissant au départ un habitat « adapté à leur comportement ».

La médiocrité de ces ensembles ne fait que renforcer le mythe de « la maison individuelle à la campagne », récompense de la future promotion sociale qu'il convient de s'assurer. Ces différents types de logement « adaptés » à la solvabilité de chaque couche sociale renforcent le phénomène du regroupement spatial et aboutissent à une ségrégation sociale encore plus grande.

Pour élargir le marché et rentabiliser au mieux la construction du logement en général, un effort important doit être fait dans le sens de l'industrialisation de la construction : « Le problème du logement ne se résoudra que le jour où les maisons seront produites dans les mêmes conditions que les automobiles. Ce jour-là, le logement sera devenu un objet de grande consommation [2]. »

Il devient donc nécessaire d'accéder à la fabrication en série. La politique des « modèles » (promotion industrielle de modèles de logement agréés par le ministère) définie en avril 1969 ouvre la voie à l'industrialisation. Les organismes H. L. M. sont contraints, pour leurs constructions, d'adopter des modèles agréés pour recevoir le financement correspondant aux travaux engagés. La formule d'adjudication est remplacée par la formule du concours, visant à promouvoir une véritable concurrence de marché ayant pour but d'impulser la constitution de « groupes builders » d'envergure nationale. Pour favoriser cet objectif, l'Etat accordera un certain nombre de facilités et de dérogations. Il prendra à sa charge les grands investissements d'infrastructure prévus aux schémas d'aménagement et d'urbanisme qui constituent un maillage d' « équipements structurants ». Les grands constructeurs se partageront ce maillage débité en zones d'aménagement concerté.

La loi d'orientation foncière, suffisamment souple et imprécise, multiplie les dispositions susceptibles d'étendre le marché de la promotion privée (pression sur les coûts de construction, les coûts fonciers, les densifications des espaces constructibles). Les dérogations aux schémas d'aménagement et d'urbanisme, l'élévation des coefficients d'occupation du sol et même leur suppression dans les zones d'aménagement concerté permettront d'atteindre une rentabilité plus grande de la construction par le biais d'une baisse générale de la qualité, d'une application moins rigoureuse des règles d'urbanisme et d'une surdensification maximum.

---

2. *Entreprise,* juin 1969.

D'autre part, des dérogations aux normes antérieures (équipement du logement, dimension des pièces, etc.) seront accordées par le décret du 14 juin 1969. Le cahier des prescriptions techniques et fonctionnelles minimales unifiées (C. P. T. F. M. U.) sera supprimé et remplacé, le 22 avril 1969, par une réglementation de la construction moins rigoureuse. Les modalités d'obtention du permis de construire ainsi que celles du certificat de conformité seront simplifiées.

Toutes ces mesures favorisent l' « innovation », la création de modèles industrialisés, en simplifiant le processus de construction. Elles sont présentées comme nécessaires à l'éclosion d'une architecture nouvelle et diversifiée : « Les constructeurs aidés par une nouvelle attitude libérale de l'administration n'hésiteraient plus à concevoir et à édifier des formes nouvelles. »

Les causes économiques déterminantes dans le conformisme et l'uniformité des grands ensembles est masqué par un discours idéologique tendant à montrer que les réglementations trop contraignantes brimaient la créativité des hommes de l'art.

L'évolution du secteur de la production du logement a atteint un niveau technologique suffisant pour accepter cette « innovation » purement formelle qui masque la réalité des rapports sociaux en s'appuyant sur la variété et la diversité, où en fait le logement est réduit à un jeu de construction de cellules entassées, agrémentées de façades multicolores ou d'éléments préfabriqués qui donnent de nouveaux arguments de vente aux promoteurs (un nouvel art de vivre... dans un chou à Créteil !).

Parallèlement, il sera nécessaire de regrouper tous les agents intervenant dans la construction. Fin 1972 s'est constitué le Comité national des bâtisseurs sociaux, regroupant les maîtres d'ouvrage décidés à acquérir l'entière maîtrise de la construction de logements : « L'objectif essentiel est de procurer aux acquéreurs de logements, et en particulier de logements dit sociaux, le maximum de garanties et, pour y parvenir, de posséder la maîtrise entière et totale du produit [...]. L'ambition est de devenir le seul interlocuteur de l'acquéreur d'un logement [...] et, dans un avenir un peu plus lointain, de pratiquer la " vente à l'essai " [3]. »

La marchandise logement, produit fabriqué en série, devra pouvoir s'écouler rapidement. La taille des grands ensembles sera diminuée ainsi que les délais de réalisation (circulaire Guichard), diminuant ainsi la longueur du temps de rotation du capital.

Ainsi, en 1975 comme en 1968, comme tout au long de l'histoire du logement social en France, la question du logement n'est toujours pas résolue. Ce qui donnera raison à Engels pour qui « la bourgeoisie n'a qu'une méthode pour résoudre la question du logement à sa manière, ce qui veut dire la résoudre de telle façon que la solution engendre toujours à nouveau la question ».

## II. La justice sociale selon le rapport Barre

Deux commissions se voient confier par Giscard d'Estaing la mission de définir la politique de la « société libérale avancée » en matière de logement. Sylvain Nora anime la première et Raymond Barre la seconde. Deux sujets : l'amélioration de l'habitat ancien et la réforme du financement du logement. Les conclusions déposées par la « commission Barre » pourraient constituer, si elles sont effectivement appliquées, une des étapes les plus importantes de la production capitaliste du logement social en France.

Leur analyse et leur critique mériteraient une place plus importante que celle que nous pouvons leur consacrer. Il importe, cependant, d'en dénoncer ici les principaux objectifs.

*Libéralisme économique et vérité des prix*

Les réformes envisagées s'inscrivent dans le droit fil

---

3. *Le Moniteur,* 17 mai 1975.

de l'évolution que nous avons décrite dans les chapitres précédents. Nous ne revenons donc pas sur ces éléments.

A cette évolution s'ajoutent des données conjoncturelles particulièrement marquantes. La crise économique généralisée qui se développe depuis 1974 impose et facilite à la fois une nouvelle restructuration de l'économie française. Le schéma n'est pas nouveau : c'est au fond le même qui marque chacune des « grandes crises » du capitalisme.

L'un des secteurs les plus sensibles, le bâtiment, ne manque pas de faire une nouvelle fois l'objet d'attentions toutes particulières. Parallèlement, le développement des luttes populaires liées aux problèmes du « cadre de vie », la multiplication des associations de défense, des comités de locataires, mal contenus par l'idéologie bourgeoise de l' « environnement » et les organisations traditionnelles de la gauche, imposent au gouvernement d'accentuer son contrôle social.

La raréfaction des terrains disponibles en zones urbaines inquiète les constructeurs. La baisse de population des centres urbains au profit de banlieues qui votent souvent « mal » attriste les statisticiens électoraux du régime. La promotion idéologique de l' « habitat à échelle humaine » et le contrôle policier des grands ensembles ne suffisent pas à éviter les risques de conflagration sociale. Et surtout le problème économique demeure.

Lorsque le rapport Barre [4] écrit : « Le nombre de logements mis annuellement en service n'a cessé de s'accroître »

|  |  |  |  |
|---|---|---|---|
| 1950 : | 68 000 | 1965 : | 412 000 |
| 1955 : | 210 000 | 1970 : | 456 000 |
| 1960 : | 316 000 | 1975 : | 500 000 |

il montre bien que cet « accroissement »... diminue proportionnellement au fil des ans. On ne construit plus

---

4. « Réforme du financement du logement », *La Documentation française*.

2 000 logements d'un seul coup. Sous la forme qu'elle connaît depuis les années cinquante, la production de logements est condamnée.

De plus, et contrairement à ce qui nous est le plus souvent répété, le taux de croissance annuelle des crédits au logement est en baisse depuis 1967, comme l'indique pudiquement le même rapport dans l'une de ses annexes.

Les constructeurs de logements sociaux se plaignent amèrement : les prix réglementaires de construction sont trop bas et ne suivent pas l'évolution des prix du marché. Les « loyers d'équilibre » (loyer théorique permettant de rentabiliser l'immeuble sur la durée de remboursement des emprunts contractés pour sa construction) dépassent de plus en plus, pour les nouveaux logements, les loyers maxima autorisés. Les vieux grands ensembles se dégradent et les moyens manquent pour les rénover et y attirer des populations plus solvables économiquement et plus dociles socialement que celles qui y sont encore entassées.

L'Etat voudrait se désengager de la construction et mieux se consacrer à la restructuration économique et au contrôle social.

A ces inquiétudes économiques et sociales, le rapport Barre répond en proposant la libération des circuits économiques et la « vérité des prix », présentées sous l'argument de l'amélioration de la qualité des logements. Il s'agit, dans un premier temps, de réformer le système de financement à la construction et les réglementations normatives :

— sous une forme modifiée, les prêts immobiliers conventionnés (P. I. C.), financés par des bons hypothécaires, deviendraient le seul mode de financement des logements commercialisés en accession à la propriété, et ce pour tous les constructeurs. Le régime spécial consenti aux organismes d'H. L. M. disparaîtrait ;

— le système des plans d'épargne-logement serait maintenu en rétablissant la « vérité des taux » (notamment auprès du souscripteur) [5] et en ajustant mieux « les gains et les risques des établissements collecteurs », c'est-à-dire notamment en réduisant « les pertes qu'ils pourraient supporter du fait d'une situation voisine — ou en deçà — de l'équilibre des dépôts et des prêts » ;

— le volume des fonds propres des maîtres d'ouvrages à vocation sociale (notamment les organismes publics de H. L. M.) serait accru par la majoration des loyers qu'entraîneront la réforme, l'accroissement de la contribution des employeurs à la construction et l'aliénation (par vente) d'une partie du parc locatif. En clair : autoriser et stimuler la réalisation de bénéfices par les organismes de H. L. M. théoriquement « à caractère non lucratif ». Cela serait renforcé par l'obligation faite aux H. L. M. et aux sociétés d'économie mixte de financer sur fonds propres au moins 10 % du coût des constructions nouvelles ;

— le taux des prêts consentis aux organismes de construction locative à vocation sociale serait unifié, les prêts à faible taux disparaissant. Parallèlement, toute notion de catégorie de logements disparaîtrait ainsi que les « prix plafonds de construction » (coût maximum du programme permettant actuellement de bénéficier des prêts correspondants). Seule subsisterait une réglementation réduite de qualité minimale des logements.

Le sens de ces mesures est clair. Il s'agit de rétablir la « vérité des prix », c'est-à-dire de lever toutes contraintes réglementaires imposées aux constructeurs en matière de coûts de construction. Les entrepreneurs se réjouissent : ils vont pouvoir imposer leurs prix. Architectes et bureaux d'études participent de la fête : ils sont payés en pourcentage du coût de construction.

Les promoteurs privés voient s'élargir devant eux le marché du « logement social », susceptible de devenir

_____

5. C'est-à-dire imposer à la publicité d'afficher le taux réel de rémunération des dépôts (actuellement 8,75 % et non 9 %). Car rien n'est proposé pour réduire l'écart entre ce taux et celui de l'inflation (plus de 12 % en 1976).

plus rentable, d'autant plus que les prérogatives des organismes spécialisés sont considérablement réduites, voire supprimées.

Il s'agit bien d'unifier, d'homogénéiser la production du logement, comme le fut il y a peu de temps celle de l'automobile. Nous n'en sommes pas encore là, mais la réforme Barre constituerait un « grand pas en avant ». L'assimilation dans le financement et dans le fonctionnement [6] du secteur privé et du secteur public, la généralisation de conventions associant les deux — tant au stade du financement qu'à celui de la construction — complètent bien la politique foncière poursuivie par le pouvoir, sans pour autant résoudre les principales contradictions qui sont les siennes. La réforme des systèmes d'établissement des marchés publics et leur assouplissement, la promotion d'équipes intégrées « architectes + bureaux d'études techniques et financiers » par la généralisation des nouveaux « contrats d'ingénierie » ont déjà précédé ces mesures.

Il faut industrialiser et rentabiliser la construction, accélérer la rotation des capitaux investis, en réduisant notamment le frein que constituait la présence dans le circuit de capitaux publics plus faiblement rémunérés, investis à trop long terme. Il faut délivrer les constructeurs de toute contrainte de coût, leur permettre de ne même plus avoir à tenir compte des possibilités financières de leurs clients : locataires ou accédants à la propriété. L'Etat se charge de garantir la solvabilité de la demande : c'est le second volet des propositions du rapport Barre.

*Une nouvelle forme de contrôle social :*
*l'aide personnalisée au logement*

La réforme du financement à la construction entraînera une hausse considérable des loyers des nouvelles constructions de logements sociaux et de logements

---

6. Des mesures sont prévues en matière de recrutement et de rémunération du personnel des offices publics.

correspondant plus ou moins au « secteur aidé » actuel. Il est, de plus, prévu d'autoriser les organismes gestionnaires à augmenter dans de fortes proportions les loyers de leurs logements « anciens », essentiellement les grands ensembles construits dans les années 1950 à 1965, afin de les doter de moyens plus importants pour procéder à l'entretien et à la rénovation de leur patrimoine, mais aussi afin d'augmenter la masse de leurs capitaux propres.

Une telle augmentation des loyers ne saurait être réalisée sans un minimum de contreparties. Dans le cas contraire, le risque d'une révolte massive des locataires serait trop grand. D'autant plus qu'un des objectifs corollaires de l'augmentation des loyers est de rendre l'accession à la propriété plus concurrentielle face à la location. En décourageant les familles dont les revenus sont moyens ou même relativement importants de rester locataires, c'est à long terme une large diminution de la part relative occupée par le secteur locatif sur le marché du logement qui est recherchée.

Le rapport Barre constate : « Il n'y a point de réelle liberté de choix si les ménages à faibles revenus sont assignés, selon le niveau de leurs ressources, à une catégorie donnée de logement, fût-elle unique, dont les normes sont définies par l'autorité publique. Le système d'aide à l'habitat devrait, au contraire, permettre aux individus d'effectuer un véritable choix, dont l'ouverture sera sans doute longtemps encore fonction de leurs revenus, mais qui, même pour les plus pauvres, devrait s'élargir continuellement. »

On pourrait répondre à ces deux préoccupations par les arguments suivants : une plus grande solvabilité des ménages peut être assurée par l'augmentation de leur pouvoir d'achat ; une plus grande justice des loyers peut être acquise au moyen d'un véritable système généralisé de péréquations entre les différentes catégories de revenus.

Les propositions de la commission Barre sont bien éloignées de telles préoccupations.

L'une des remarques faites par le rapport Barre est particulièrement significative : « Les modalités actuelles de versement de l'allocation sont telles que celle-ci n'est pas réellement ressentie par le ménage comme une déduction de son loyer ou de sa mensualité d'accession à la propriété, mais plutôt comme un supplément de revenu. L'efficacité de l'aide est donc faible au strict point de vue de la politique du logement. » En d'autres termes, le pouvoir souhaite contrôler strictement l'utilisation par les travailleurs de leurs revenus, afin de s'assurer notamment qu'ils en consacrent bien au moins 20 à 30 % à leur logement. Ce serait apporter, sous l'égide de l'Etat, la plus fantastique garantie d'importance et d'accroissement de son marché dont un secteur économique puisse rêver !

C'est bien là un des motifs réels de la création de l'aide personnalisée au logement (A. P. L.) préconisée par la commission Barre. Plusieurs objectifs lui sont assignés :

« La solvabilité des plus démunis serait assurée, sans créer de rentes de situation au bénéfice des ménages mieux pourvus.

Etant attachée au ménage et non au logement [...], l'aide personnalisée au logement éviterait par ailleurs le cloisonnement de la production et ouvrirait la voie à un marché du logement unifié.

Cependant, il est indispensable de garantir l'affectation au logement d'une telle aide en prévoyant son versement, chaque fois qu'il est possible, aux organismes gestionnaires. »

Cette aide personnalisée remplacerait à long terme les systèmes actuels d'allocation-logement. De beaux exemples démontrent le caractère social de la réforme, sensée permettre aux faibles revenus d'accéder à des logements de meilleure qualité.

Mais il est en même temps indiqué qu'il ne serait pas « raisonnable » qu'un ménage gagnant 2 000 F par mois choisisse un logement dont le loyer (charges comprises) avoisinerait 1 000 F : « Serait-il raisonnable de lui attribuer une aide personnalisée, de montant élevé

(700 F par exemple) si un risque quelconque existait quant aux délais de versement ou à l'affectation de l'aide au paiement du loyer ? » Or, 1 000 F représentera le loyer d'équilibre d'un logement correspondant aux H. L. M. actuelles de quatre pièces, construit avec le nouveau système de financement préconisé, charges incluses. Nous sommes loin de « permettre aux individus d'effectuer un plus large choix ».

L'ensemble des dispositions prévues par la réforme Barre est, bien entendu, plus complexe que la synthèse que nous effectuons ici. Mais cette dernière suffit à en dévoiler les objectifs.

L'A. P. L. constitue le pendant indispensable de la réforme du financement à la construction et garantit la réalisation de ses objectifs économiques, que nous avons déjà exposés : libérer le coût de la construction, et par conséquent le profit des entrepreneurs ; « libérer » les loyers, et par conséquent le profit des promoteurs et des organismes gestionnaires, privés ou publics ; limiter le secteur locatif aux catégories les plus défavorisées de la population, et inciter les autres à devenir propriétaires (un nouveau système d'aides est prévu pour faciliter l'accession à la propriété des revenus moyens) ; favoriser l' « innovation » architecturale et technique, c'est-à-dire l'emploi des technologies de pointe particulièrement rentables (profits d'innovation) ; favoriser l'organisation de la production autour de fortes unités financières concentrées ; garantir, aux frais de l'Etat (c'est-à-dire en l'occurence de la Caisse d'allocations familiales), la présence d'une demande solvable pour des logements à prix élevé.

Mais à ces projets économiques s'ajoute la réalisation d'objectifs sociaux chers à la classe dominante : maintenir la ségrégation sociale des couches les plus exploitées de la population (sous-prolétariat, immigrés...), mais au sein d'unités plus réduites que ne le furent les grands ensembles ; accélérer l'intégration de la petite bourgeoisie et des couches élevées de la classe ouvrière à l'idéologie de la classe dominante ; renforcer le contrôle social.

Revenons sur ce dernier point. Nous avons déjà parlé de son expression dans l'espace. L'extension du système de l'A. P. L. permettrait de renforcer ce contrôle grâce à une évaluation affinée des revenus de chaque ménage, et grâce à une dépendance absolue des familles envers l'autorité publique, qui se substituera à elles pour gérer une partie de leur budget : celle consacrée au logement.

Le Français dont rêve Raymond Barre est un travailleur résidant dans un logement « au-dessus de ses moyens ». L'A. P. L. couvrira une partie de la différence, mais la précision du calcul de son montant nécessitera un contrôle permanent et rigoureux des revenus de la famille. Devenue l'aide exclusive, elle sera celle en dehors de laquelle l'accès au logement — devenu « hors de prix » — sera interdit. La gestion de près de 30 % de leur budget sera retirée à la majorité des travailleurs. On imagine avec quelle facilité pourront être sanctionnés les écarts de comportement des « mauvais locataires » dont se plaignent amèrement tant d'organismes H. L. M.

Le tableau que nous brossons n'est pas noirci à plaisir. S'il faudra de longues années pour mettre en place la réforme Barre dans toute son ampleur, si nous espérons que la riposte populaire saura la tenir en échec, il ne faut pas sous-estimer le danger qu'elle représente. Car dès aujourd'hui, et à l'insu de tous, les éléments d'un tel contrôle se mettent en place. La préfecture de Seine-Maritime lance, en 1977, la constitution d'un fichier central visant à regrouper *toutes* les demandes et affectations de logements réalisées auprès et par *tous* les gestionnaires du département, publics ou privés. Ouvert à ces mêmes gestionnaires, ce fichier permettrait non seulement d'intervenir immédiatement auprès de chaque famille présentant simultanément plusieurs demandes [6], mais de suivre de résidence en résidence

---

6. On sait que c'est pour beaucoup le seul espoir de trouver un logement décent dans des délais acceptables.

chaque foyer de manière permanente, notamment les « mauvais payeurs » (par le suivi des expulsions). Dès aujourd'hui, les organismes publics transmettent discrètement à des sociétés privées des listes de locataires « aisés » susceptibles de les intéresser, à des fins de publicité « personnalisée ».

Comme les « fichiers logements », des « fichiers emplois » sont à l'étude dans différentes préfectures, avec le même type d'objectif.

Le contrôle social indirect, par l'emploi, le logement, la consommation, ne suffit plus au pouvoir. C'est un contrôle permanent de la situation de chaque travailleur qu'il lui faut. Sous couvert de « justice sociale », d' « analyse des besoins de la population », c'est bien la société de Big Brother [7] qui se met en place.

---

7. Dictateur du roman d'ORWELL, *1984*.

# III

Contrôle bourgeois
et appropriation populaire

# 1. L'appropriation populaire de l'espace

Il était nécessaire d'entreprendre l'étude du logement capitaliste en France pour mieux comprendre et interpréter les luttes actuellement menées sur le front de l'espace. Ces luttes dessinent un courant historique important : l'appropriation populaire de l'espace. Elles sont la réponse directe à un contrôle bourgeois dans son incarnation contemporaine.

Il n'est pas possible actuellement de recenser toutes les actions menées dans le but de « s'approprier » une partie de l'espace. Certaines, par leur importance, par leur symbolique ou par leur popularisation, peuvent servir d'exemple. Elles méritent en tout cas d'être décrites, pour enrichir la mémoire collective et pour définir, si possible, de nouvelles stratégies de luttes sur le front de l'espace.

## I. Le droit au logement

*L'exemple des luttes italiennes de 1971 à 1974*

La « Semaine rouge » de Rome, dernière semaine d'avril 1971, fournit un exemple d'occupation massive de logements par des sans-logis ou des mal-logés. Ce mode qui fera tache d'huile à Rome trouvera son véritable foyer à Milan, où il se poursuit encore actuellement, s'étendra comme un mot d'ordre de la gauche extra parlementaire et trouvera des applications dans toute l'Italie et jusqu'à Syracuse, où 120 familles occupèrent des H. L. M. en janvier 1971.

Un texte de *Lotta continua* (mars 1971) explique le pourquoi et le comment de ces occupations :

« Pourquoi nous prenons les maisons ? Premièrement, parce qu'elles nous appartiennent et que nous en avons besoin. Les patrons nous les ont volées. Ils détiennent l'immense richesse que nous avons fabriquée. Les villes existent et croissent parce que des millions de prolétaires ont émigré, ont supporté des sacrifices, des conditions de vie misérables pour aller se faire exploiter là où les patrons ont décidé de faire construire les usines, les chantiers.

Les maisons les plus grandes, nous les utilisons pour nous réunir nombreux, les rues des quartiers pour faire des manifestations avec les enfants, les femmes, tout le monde. Les cafés, nous les utilisons pour nous rencontrer entre prolétaires, étudiants et militaires. Les patrons et les petits chefs qui croient faire la pluie et le beau temps dans nos quartiers, nous les tenons en respect en faisant des procès publics dans des assemblées, avec des affiches et de mille autres façons. »

Le mouvement des occupations éclate au grand jour à Rome le 27 avril 1971, rue Angeli, dans le quartier Casalbruciato où une trentaine de familles « emménagent » dans des logements en voie de finition. En une semaine, le mouvement va s'étendre, malgré les appels au calme des partis de gauche, à près de 700 appartements du quartier Casalbruciato et du quartier de Centocelle.

Dès le lendemain, les trente familles de départ se voient suivies par des centaines d'autres et toutes les maisons de la via Angeli sont occupées (400 appartements). Le lundi 29, les maçons qui travaillent aux finitions des immeubles discutent avec les occupants et se joignent à eux ; le mouvement s'intensifie et gagne les rues avoisinantes. Après des « médiations » infructueuses du P. C. I. et du P. S. I. U. P., l'affrontement avec les forces de l'ordre est inévitable. Il faudra deux jours à la police pour faire évacuer les immeubles ; deux jours pendant lesquels un nouveau mouvement d'occupation voit le jour dans le quartier de Centocelle, rue Carpineto Romano, qui commence avec l'emménagement de cinquante familles.

La popularisation effectuée par l'extrême gauche (Lotta continua, Potere Operaio, etc.) assure une large diffusion des idées de la « semaine rouge » de Rome. C'est ainsi qu'a lieu, à Milan, l'occupation de la Via Tibaldi début juin 1971. Les occupants sont presque tous des gens du Sud, des ouvriers de Pirelli, des travailleurs du bâtiment ou des chômeurs. Près de 360 personnes seront logées Via Tibaldi.

Après de durs affrontements avec la police, tout le monde est concerné par la rue Tibaldi. En effet, le pouvoir, qui craint une extension de la lutte, se hâte de trouver une solution avant le 31 juillet. La commune attribue 200 logements populaires non seulement aux 60 familles occupantes, mais aussi à 140 autres familles qui étaient en attente d'un logement. Chaque famille recevra 100 000 lires pour rentrer dans ces logements. Il n'est plus nécessaire de donner une caution ni trois mois de loyer d'avance. Toutes les expulsions en cours et les dettes de loyer sont suspendues par la commune, toutes les personnes appréhendées sont relâchées.

A travers l'occupation, une certaine forme de vie communautaire s'est installée rue Tibaldi : création d'une crèche prise en charge collectivement par les mères de famille, création d'un dispensaire rouge avec des étudiants en médecine, etc.

Comme à Rome, ce mouvement a été lancé et animé par les travailleurs eux-mêmes. Les objectifs premiers de cette lutte résident dans l'obtention d'un logement décent dans des conditions décentes, mais ils dépassent cette nécessité imminente pour prendre une dimension plus large de la lutte politique. Lotta continua en analyse ainsi les résultats :

« Les ouvriers occupants ont su s'organiser pendant l'occupation, ils ont su passer de l'organisation d'usine à l'organisation générale ; ils savaient que les conditions d'une lutte victorieuse passent par la popularisation de cette lutte, par sa généralisation. Leur imagination prolétarienne leur a fourni les moyens de ne pas cantonner leur lutte à la rue Tibaldi, trouvant de nouvelles formes d'intervention, décidant à tout moment de l'opportunité d'un blocage de rue, d'une manifestation, d'assemblées générales, de distributions de tracts ou d'une action contre la mairie. »

Le mouvement des occupations se poursuit depuis en Italie, à Milan principalement. En 1974, 360 personnes occupent Via Karl-Marx en avril, 280 Via Cilea en juin, 180 Via Famagosta en novembre.

Ce courant avait pris naissance avec la grève générale des loyers décrétée le 5 juillet 1969 contre les augmentations et les expulsions ; soutenu par les mallogés et les sans-abri, il exigeait l'application de la loi du 10 avril 1962 et, plus tard, de celle du 22 novembre 1971 [1], fruit des occupations de la même année.

De la même manière, les squatters de Marseille, Angers, Rouen, Paris et Strasbourg dans les années d'après-guerre exigeaient l'application de l'ordonnance du 19 octobre 1945, qui institue le droit de réquisition des logements vacants. Ce sont là des luttes directement issues de l'urgence du besoin de logement. Comme la France des années 1945-1950, l'Italie actuelle présente une grave crise du logement : 10 % de sans-logis dans le Nord et 28 % dans le Sud en 1971. La notion de droit au logement est profondément ancrée dans l'histoire des luttes de la classe dominée. Dès la fin du XIXᵉ siècle se créent des organisations de lutte sur ce thème : le Groupement des antiproprios ou la Ligue de la grève des loyers et des fermages, devenue en 1911 l'Union syndicale des locataires ouvriers et employés. En 1923, 100 000 Parisiens défilent sur les Champs-Elysées pour obtenir une réglementation des loyers. C'est en 1953, avec le mouvement de l'abbé Pierre, que les dernières grandes occupations voient le jour en

---

1. Loi au vote de laquelle le P.C.I. s'abstiendra, ce qui achèvera la rupture avec les habitants sur ce domaine.

France : à Paris, plusieurs centaines de familles sans abris squattent des logements vides. Le mouvement sombrera, vite étouffé par une « charité » de circonstance et de courte durée. Depuis, en France, seules quelques grèves de loyers, comme celles de Nantes ou du Triolo à Lille, illustrent ce mot d'ordre de droit au logement. Car, comme l'explicite Engels : « Si cette crise du logement fait tant parler d'elle, c'est qu'elle n'est pas limitée à la classe ouvrière, mais qu'elle atteint également la petite bourgeoisie. » Aujourd'hui, en France, on ne parle plus de crise du logement puisque la petite bourgeoisie ne court pas le risque d'être sans abri.

## II. Luttes de quartier

Il est un courant d'appropriation populaire qui dépasse le cadre strict du besoin de logement pour s'attacher à un espace particulier, pour revendiquer l'usage social autonome d'un habitat autour duquel est ancrée une mémoire populaire. Courant qui s'oppose doublement à la politique actuelle de l'espace capitaliste : opposition à la reconquête des centres urbains par la bourgeoisie, et aussi opposition à la fonction d'intégration sociale du logement contemporain. Ce courant d'appropriation populaire trouve de nombreuses applications : en France, c'est l'occupation de la rue Jacquier en 1972, et plus récemment la lutte des habitants du quartier de l'Alma-Gare à Roubaix, de ceux du Marais à Paris ; à l'étranger, c'est l'exemple frappant du quartier de Niewmarkt à Amsterdam, dont l'occupation dura de 1970 à 1975. Il n'est pas possible ici de traiter la multiplicité des cas qui éclosent chaque jour[2], et l'on retiendra les exemples de la rue Jacquier et de Niewmarkt.

---

2. Pour plus d'informations sur ce thème, voir la revue *Place, peuple, espace, pouvoir*, en particulier les n[os] 2, 3 et 5.

L'occupation du 17, rue Jacquier est à la charnière de ce courant et de celui que nous analysions précédemment. C'est à partir du récit du comité de lutte des occupants que nous décrivons le mouvement :

Armand (63 ans), mutilé de guerre, ancien maçon, se retrouve expulsé avec sa femme Andrée (53 ans) de son appartement. L'immeuble du 17, rue Jacquier est vide depuis huit mois. A la cave, une chaudière toute neuve chauffe tout l'immeuble et l'alimente en eau chaude. La propriétaire, avant de revendre son immeuble à la Semirep (Société d'économie mixte de rénovation du quartier Plaisance), avait fait refaire la maison intérieurement à neuf pour de plus fructueux bénéfices. Les appartements étaient donc en parfait état d'habitation. Il ne manquait plus que les meubles.

Samedi 12 février 1972, avec l'aide du Secours rouge (14ᵉ), Armand, Andrée et Yolande (72 ans), leur amie, occupent un logement au premier étage. Ils y apportent les quelques meubles qu'il leur reste. Le soutien du quartier est tout de suite efficace : on remet la chaudière en marche, des vêtements et des vivres sont immédiatement apportés en solidarité avec les nouveaux occupants.

Le dimanche 13 février, la police est devant la porte et tente d'intimider les trois petits vieux. La Semirep, avertie par la police, recule devant le soutien du quartier, accepte qu'Armand reste momentanément dans les lieux et promet une négociation ultérieure. Cependant, la popularisation de cette occupation fait que de nombreux mal-logés, sortent des caves et des taudis où ils s'entassaient et viennent prendre, eux aussi, le droit à un logement décent.

La semaine suivante, de nombreux nouveaux venus et leurs enfants viennent occuper, échappant ainsi à la dure condition de sans-abri ou d'habitants d'hôtels.

A la fin du mois de février, l'immeuble est plein. La maison commence à s'organiser. Les gens du quartier viennent nombreux pour exprimer leur soutien à cette action. Ils manifestent leur solidarité en apportant tables, chaises, matelas, vêtements, couvertures, alimentation. Dans cet immeuble, la vie revient. Tous commencent à se connaître, discutent, agitent constamment des problèmes jusqu'ici réservés à des spécialistes. Toute l'existence dans cette lutte devient politique.

La Semirep, propriétaire de l'immeuble, se hâte de venir proposer à Armand, Andrée et Yolande un logement dans le 14e arrondissement, à 50 F par mois, à condition que les autres occupants évacuent les lieux. Devant ce chantage, Armand, pris de colère, raccompagne l'expulseur à la porte.

Devant la détermination du comité de lutte des occupants et du comité de soutien du quartier, des promesses verbales de relogement sont faites. Mais, deux jours plus tard, la police pénètre l'arme au poing, sous le fallacieux prétexte de rechercher un voleur de voitures...

Avec l'aide de la population, une fête populaire est organisée à l'occasion de la naissance d'un enfant. Là aussi, la police se manifeste.

Peu à peu, la période euphorique passe. Devant les menaces répétées d'intervention de la police, la plupart des occupants cèdent à la négociation, sauf Armand et deux autres. Une délégation se rend à la Semirep où le ton monte ; celle-ci reste sur ses positions : le logement ne sera attribué à Armand que lorsque le 17 sera totalement vide.

Une maigre victoire est obtenue sur le plan législatif : le tribunal octroie aux occupants de la deuxième vague un sursis jusqu'au 1er septembre.

Le mouvement semi-spontané du 17, rue Jacquier a rencontré de nombreux problèmes, tant sur le plan matériel qu'idéologique. Il faut que les acteurs en soient arrivés à une situation de non-retour pour qu'ils entament des luttes allant à contre-courant de tout discours idéologique en place.

La lutte des squatters hollandais, si elle est le fruit d'une coupure idéologique comme dans le cas de la rue Jacquier, se déroule dans un tout autre cadre. Rue

Jacquier, le Secours rouge est issu de la rupture de 1968 ; à Niewmarkt, le mouvement « provo » des années 1965-1966 marque la relation à l'institution, en l'occurrence la municipalité réformiste d'Amsterdam.

Niewmarkt est un ancien ghetto juif très proche du centre d'Amsterdam. Vide et délabré au lendemain de la guerre, ce quartier est l'objet d'un projet de démolition pour faire passer le futur métro qui reliera le centre (la gare) aux couronnes périphériques et à la pseudo-ville nouvelle de Belmeneer.

Au cours de l'année 1970, trois cents squatters s'installent petit à petit à Niewmarkt. Le libéralisme des autorités locales s'inquiète de l'ampleur de l'auto-rénovation réalisée par les nouveaux habitants. Le conseil municipal, où siège un ancien provo, avait accordé un crédit de peinture pour améliorer l'aspect du quartier ; les squatters l'utilisèrent pour repeindre les pignons et y inscrire la silhouette des maisons démolies et des poèmes de résistants de la Seconde Guerre mondiale, assimilant ainsi la politique de reconquête du centre par la bourgeoisie d'affaires avec l'occupation allemande qui fut particulièrement odieuse à Amsterdam.

Bien qu'ils s'en défendent, les occupants mettent sur pied une véritable organisation. Tous les aspects de la vie d'un quartier sont gérés de manière autonome : avec une participation d'environ 20 francs par personne et par semaine se constitue une caisse commune pour payer les réparations des maisons. On installe un atelier de menuiserie. On crée une école maternelle avec une institutrice payée par la communauté. On affiche chaque jour un journal mural, on publie un hebdomadaire. On aménage les espaces publics, les jardins, un petit zoo pour les enfants est mis sur pied.

Au plan officiel, la lutte s'organise autour de l'élaboration par une équipe pluridisciplinaire d'un contre-projet modifiant le tracé du métro, avec la proposition d'un plan d'ensemble des transports en commun dans Amsterdam. Sur le plan défensif, les ouvriers venus détruire certaines maisons vides sont accueillis par des jets de pierres et de tuiles. La police anti-émeute, qui s'opposa aux provos en 1966, réapparaît afin de protéger les démolisseurs qui viennent parfois couper les arbres à cinq heures du matin. L'élaboration et l'installation d'un système d'alarme entre les maisons permet de mobiliser tout le monde en quelques instants. Les squatters disposent aussi d'une radio pirate, Radio-Mokum, qui leur permet d'informer toute la ville de leur lutte.

Le courant idéologique, assez dur, va jusqu'à la séparation d'avec les « junkies » qui donnaient prétexte à la répression exercée sous couvert de lutte contre la drogue. L'organisation de la lutte face aux brigades anti-émeute et aux démolisseurs, sa popularisation au moyen d'une radio pirate, le fait que les observateurs voient les maisons retapées, le quartier renaître, tout cela établit un vaste mouvement de soutien des quartiers populaires de toute la ville.

De Pâques à juin 1975, les forces de l'ordre de la municipalité réformiste (P. C.-P. S.) d'Amsterdam, au cours d'affrontements d'une rare violence dans cette ville libérale, réussiront à « nettoyer le quartier » et à remplacer jardins, écoles et lieux de rencontre par des ruines entourées de grillages. Mais, au dire des habitants d'Amsterdam, l'esprit de Niewmarkt avec son symbole de chèvre têtue n'est pas mort et se concrétise dans de nombreux quartiers populaires de la ville.

La revendication de se maintenir dans un quartier au nom de la mémoire populaire que ses habitants constituent est une constante des comités de quartier. La logique de la rénovation-déportation, si bien définie dans le livre de H. Coing sur le 13e arrondissement de Paris, est désormais sans mystère pour les habitants des centres anciens. A l'instar des gouvernants qui critiquèrent les grands ensembles, ils refusent l'immigration en banlieue et revendiquent la propriété de leur quartier, leur solidarité et leur diversité. Le schéma habituel de la déportation conduisant systématiquement à la ségrégation : vieux dans les hospices ou les foyerssoleil, insolvables en cités de transit, jeunes et immigrés en foyers pour travailleurs célibataires. Ces habitats de la contrainte sont énergiquement refusés par les comités d'habitants, à l'Alma-Gare à Roubaix, à la Croix-Rousse à Lyon, au Marais à Paris et ailleurs ; là naît une critique en acte de la notion de progrès et de confort. Ce confort alibi de la normalisation qui pousse certains à préférer l'eau froide d'un logement vétuste au centre d'une ville au cumulus d'un deux pièces de lointaine banlieue. Cette résurgence de l'esprit de quartier pourrait paraître passéiste si elle ne se muait en revendication en actes d'un espace populaire, dont la spéculation tend à désapproprier les habitants qui l'animent.

### III. Contre les équipements-harnachements

Le troisième aspect du courant de l'appropriation populaire est celui qui touche à l'organisation autonome des appareils de la reproduction. C'est là une mise en cause des équipements conçus par la classe dominante et qui sont considérés comme autant de harnachements culturels, si ce n'est de courroies directes de contrôle social. Cet aspect n'est pas absent des autres cas que nous avons examinés jusqu'ici.

Sur la lancée du mouvement italien, des occupations et des grèves de loyer de 1971, l'occupation du dispensaire de San Basilio dans la banlieue romaine et sa transformation en centre de santé populaire en sont un exemple. Les occupations de Niewmarkt se sont, elles aussi, accompagnées de créations d'équipements collectifs : écoles, ateliers, salles de réunion, espaces verts, etc.

En France, les pouvoirs publics avaient bien compris l'aspiration de la classe ouvrière à des équipements qui ne soient ni normatifs ni commerciaux, mais directement en rapport avec ses besoins sociaux et gérés par les habitants ; c'est ainsi que la loi crée les locaux collectifs résidentiels ou « mètres carrés sociaux ». Mais l'esprit de la loi ne sera jamais appliqué. Si l'on construit bel et bien ces fameux mètres carrés à usage social, ils seront placés sous la responsabilité des gestionnaires des immeubles (O. H. L. M., promoteurs) ou de la municipalité ; la désignation des associations officiellement reconnues y ayant accès ou la nomination d'animateurs spécialisés opéreront le clivage entre bons et mauvais usagers.

C'est pour lutter contre ce type de manipulation que se créent des « équipements sauvages » : crèches, centres de santé, lieux de réunion, etc. Certains en parallèle avec les équipements normatifs et contraignants du pouvoir, d'autres répondant à des besoins volontairement ignorés. C'est ainsi que, pour répondre à la nécessité de regroupement et de solidarité des travailleurs immigrés de la banlieue nord, fut créée la maison du peuple de Villeneuve-la-Garenne. C'est là, d'autre part, un des cas les plus poussés de liaison étudiants-travailleurs.

C'est en récupérant les assises d'une ancienne baraque de chantier, située entre un grand immeuble et un petit bidonville portugais, que les militants travaillant avec les travailleurs immigrés et des étudiants d'architecture construisirent en 1970 la maison du peuple. Son but était de donner aux habitants du bidonville et aux immigrés des banlieues avoisinantes un lieu de réunion où pourraient se dérouler les cours d'alphabétisation, une assistance administrative, des spectacles, etc., et qui pourrait servir le mercredi à héberger les enfants. Un noyau sanitaire et un lavoir à l'usage des habitants du bidonville complétaient le premier local. C'est à l'aide de crédits de travaux pratiques détournés de l'Ecole des beaux-arts que furent achetés les matériaux ; les éléments de charpente furent assemblés par les étudiants hors chantier. Tout fut calculé pour ne pas laisser aux forces de l'ordre le temps d'intervenir avant la finition. Les militants et les étudiants choisirent le week-end prolongé de la Toussaint pour monter l'opération en trois jours. Plus d'une centaine

159

d'étudiants et de militants participèrent au chantier, et du samedi au lundi le pari fut tenu, la maison du peuple fut terminée à temps. Les visites des forces de l'ordre et du maire (R. I.) ne furent pas conséquentes et n'interférèrent pas, comme prévu, avec les activités du chantier. Celui-ci fut l'occasion d'une école de la pratique pour les étudiants sous la direction des habitants du bidonville, travailleurs du bâtiment pour la plupart, et avec l'aide des résidents du grand ensemble qui mirent eux aussi la main à la pâte.

La maison du peuple de Villeneuve-la-Garenne fonctionna pleinement pendant huit mois, avant d'être rasée un petit matin de semaine pour dégager le terrain pour une bretelle routière et sous le fallacieux prétexte de normes de sécurité. Pendant cette période, ce fut le lieu de réunion et l'outil d'information des travailleurs immigrés de la banlieue nord auxquels le contrôle strict exercé dans les foyers ne permettait pas de s'associer librement. Ce fut aussi pour les habitants du bidonville voisin un équipement sanitaire de première nécessité.

D'autres actions de ce type ont lieu. Outre la vague des crèches sauvages qu'avait créées le mouvement étudiant après 1968, on peut rappeler des exemples plus récents comme l'occupation de la Palazzina Liberty par les militants d'action culturelle avec Dario Fo à Milan, ou comme l'investissement par des artistes et autres marginaux des abattoirs St-Marx à Vienne pour en faire l'Arena, centre d'activités culturelles et de rencontres.

Ce type d'actions se multiplie chaque jour et ridiculise, par son adéquation aux besoins, par son absence de soucis commerciaux, par sa gestion directe et autonome, les outils sophistiqués que les villes nouvelles ou les municipalités « avancées » mettent au point : faux centres-villes lisses comme des écrans de télévision, glacés comme des papiers d'emballage, et quand un rapport social s'y concrétise, c'est par la présence d'un vendeur ou d'un vigile.

Le courant d'appropriation populaire de l'espace,

jusqu'ici marginalisé par la méfiance des appareils classiques de la classe ouvrière, est à relier avec le mode d'expression spatiale que revêt la lutte des classes, aussi bien les occupations d'usines que les fêtes révolutionnaires. Partout ces luttes sont l'émergence de quelque chose de nouveau, de radicalement différent des autres luttes, elles sont l'expression de mouvements prolétariens : « Faites comme nous, occupez » ; « Aujourd'hui les maisons... demain la Ville ».

# 2. Des villes nouvelles à la réhabilitation des grands ensembles

## I. De nouveaux thèmes idéologiques

### *Environnement et cadre de vie*

A l'heure où les luttes populaires sur le terrain de l'habitat, riches de leur expérience historique, semblent pouvoir prendre une nouvelle ampleur, il s'agit pour le pouvoir de désamorcer toute lecture du réel qui briserait les barrières établies entre lieu de production et logement. Les mots d'environnement et de cadre de vie fleurissent ainsi depuis quelques années dans le vocabulaire technocratique. Dans un premier temps, une vibrante « autocritique » des dirigeants cherche à établir la crédibilité des propositions qu'elle précède. Et tous de dénoncer haut et fort la pollution, les grands ensembles sans vie, le cadre inhumain des grandes métropoles, etc. Mais cette critique, par sa forme et son contenu, vise à promouvoir un mode de pensée, une perception du réel d'où le réel lui-même est exclu, à dresser devant la réalité des conflits socio-économiques le tableau d'une responsabilité collective qui verrait la politique bourgeoise assumée par l'ensemble des travailleurs.

L'histoire en est la première victime. Le paysan labourant fièrement son champ au rythme des saisons masque la pénétration du mode de production capitaliste dans l'agriculture, alors que Lionel Stoleru voit dans le « mépris des Français pour le travail manuel » l'une des principales causes des mauvaises conditions de vie des travailleurs. Découpée en rondelles, l'histoire est réduite à une série de clichés dans lesquels le peuple pourrait bien perdre sa mémoire collective si la réalité des luttes n'était pas plus forte que le mythe des « âges d'or » perdus. Le regard fixé sur le futur radieux qu'on lui dépeint, l'homme ne regardera plus à ses pieds son aliénation d'aujourd'hui ni l'histoire qui la porte.

Ainsi déraciné, l'individu est disponible pour porter le nouveau fardeau dont on va le charger. Car, ajoute le pouvoir, chacun de nous est responsable de la qualité de son environnement, particulièrement le travailleur immigré qui « ne sait pas utiliser son logement », l'ouvrier qui se rend à son travail avec un vieux cyclo-moteur « bruyant et mal réglé ».

Il n'est pas utile d'aligner ici des citations montrant le développement quotidien de ces thèmes par l'idéologie dominante. Ils sont chaque jour présents dans la presse, à la radio, sur les affiches des multiples campagnes du ministère de la Qualité de la vie. Déracinés, culpabilisés, les travailleurs sont prêts, estime le pouvoir, à recevoir les notions d'environnement et de cadre de vie qu'il leur propose.

Mais attention ! L'environnement, ce n'est pas l'hypercroissance urbaine au profit de l' « essor industriel ». Le cadre de vie, ce n'est pas l'état des rapports structurels entre lieux de production et lieux de reproduction de la force de travail. Pour la bourgeoisie, l'environnement est ce qui se situe « autour » (par définition !) et qui cache mal la réalité quotidienne de l'exploitation. C'est la grille de l'usine trop cruellement symbolique et les fumées industrielles auxquelles le pouvoir réduit les méfaits d'une « croissance trop rapide ». Le cadre de vie, c'est le confort du bus et la décoration du mur d'en face, c'est la présence redoutée des clochards et des violeurs du métro.

On mesure ce que ces thèmes ont de réducteur. Non pas qu'il soit indifférent de vivre avec ou sans espaces verts, par exemple. Mais ce que les idéologies bourgeoises de l'environnement ou du cadre de vie recherchent, c'est une régression de la conscience des individus du champ de l'économie politique où s'affrontent les groupes sociaux au champ du « psychologique » et du « sensitif » où l'individu est circonscrit à la solitude de ses désirs, ou plutôt de l'image qui lui en est présentée. Dépossédés par deux siècles d'exploitation de la production et de la gestion des lieux où se déroule leur vie, les travailleurs se voient aujourd'hui proposé d'assumer la responsabilité de leur dégradation et d'applaudir aux replâtrages effectués par le pouvoir. Mais ils affirment avec force, au travers de leurs luttes, leur seule responsabilité collective : celle de leur émancipation et de leur combat.

## Le royaume inconnu de l'usager

Face aux luttes populaires revendiquant le contrôle du contenu et de la formation de l'espace, l'idéologie technocratique forma le concept d'usager. Celui-ci vise d'abord à découper l'individu en parties de lui-même rigoureusement indépendantes, définies par les activités spécifiques qu'elles sont sensées exercer. Atomisé, l'homme devenu usager est une variable aléatoire soumise au langage de telle ou telle administration, de tel ou tel pouvoir. Privé de toute référence à la totalité de son être, mais surtout au groupe social auquel il appartient, l'individu est envoyé de bureau en bureau au gré des besoins de l'analyse technocratique. Il s'agit avant tout de nier l'existence d'un antagonisme de classe, pour ne plus parler que des « besoins » de l'automobiliste, du cinéphile ou du sportif. Dans la réalité quotidienne de l'espace urbain, l'individu est invité à se déplacer d'un point à un autre selon une ligne discontinue : travail, transport, consommation, espaces verts, centre social, etc.

Mais les luttes sur le front de l'espace se multiplient et se développent de plus en plus. Il était normal que les partis politiques tentent d'organiser à leur profit un mouvement de masse qui suscitait une telle pléiade d'associations (22 153 créées dans ce secteur en 1974). Le champ était ouvert car ces luttes n'ont pas le monopole de la clarté, et à défendre des choses aussi diverses que l'écologie, le quartier ou les droits du piéton, on ne remet pas toujours directement en cause le pouvoir de la bourgeoisie : en l'absence d'une direction ouvrière dans l'action et la définition des mots d'ordre, ce sont bien souvent les classes moyennes, voire la petite bourgeoisie, qui jouent un rôle déterminant pour orienter et diriger ces luttes.

« Ce fut l'opération " sourire aux usagers " avec sa débauche de discours. La classe politique s'adressait à Monsieur tout le monde, c'est-à-dire qu'elle ne s'adressait à personne réellement : parler d'usagers, c'est parler d'entités abstraites qui n'ont de concret que le fait de voter. Le terme ne renvoie bien entendu ni au travailleur immigré, ni au vieux qui crève à l'hospice, ni au paysan dont l'armée vole la terre. Il renvoie à celui qui vote et consomme. Mieux ! quand la classe politique parle des usagers, elle ne parle pas aux usagers mais à leurs représentants.

Elle s'adresse à ces dirigeants parce qu'ils sont des éléments actifs parmi les couches sociales qui font l'enjeu des élections ; parce que ces dirigeants pourraient devenir les nouveaux cadres et les relais locaux que sa gestion réclame [1]. »

La plupart d'entre eux ne demandent bientôt que cela. L'attitude des municipalités « éclairées » consiste souvent à concentrer leurs interventions auprès de quelques responsables choisis d'associations qui, de « représentants patentés », deviennent vite pris par les délices de la « notabilisation ». Ils entraînent parfois avec eux leur association tout entière sur la voie de cette attitude « responsable » et « pragmatique » qui leur permet d'être reçus régulièrement par un maire écoutant « avec bienveillance » leurs souhaits timides. C'est ainsi que la municipalité de Rouen demanda un jour à l'association des locataires d'un groupe d'immeubles de se transformer en « comité de quartier » afin de

---

1. « Du bon usage des usagers », *Place*, n° 5.

prévenir toute formation d'un réel comité qui lui serait moins favorable. Les représentants du comité de quartier Grammont effectuent ainsi leur propre police afin de garantir le monopole de leur représentativité et l'intégrité de leurs revendications (notamment la présence d'un commissariat de police, pour les protéger du reste de la population du quartier).

Ainsi l'opération dépasse un simple cadre électoraliste. Elle vise à combler un vide qui existait dans la chaîne du contrôle social, celui qui faisait dire à Michel Poniatowski, commentant en mars 1976 l'organisation d'une milice par le maire de Sommedieue : « Ces initiatives communales [...] ont le mérite d'associer des citoyens volontaires à la protection de la liberté de tous, c'est-à-dire de leur propre liberté. » La police, comme les centres socio-culturels, recrute des bénévoles [2].

En février 1976 sont déposées les conclusions d'une commission présidée par Pierre Delmon, bien connu pour sa gestion démocratique des Houillières du Nord et du Pas-de-Calais, dont il est président. Le rapport Delmon doit préfigurer la constitution d'une « charte des usagers ». Après avoir notamment écrit : « Déjà dans le passé, il a été nécessaire de favoriser des mécanismes de représentation qui se situent en dehors du schéma classique de la démocratie représentative. C'est ainsi qu'il a été jugé nécessaire d'accepter le développement du syndicalisme pour défendre les intérêts des citoyens en tant que travailleurs (sic). Il s'agit aujourd'hui d'accepter le développement d'associations pour défendre les intérêts des citoyens en tant qu'usagers, consommateurs, habitants », il propose quarante-cinq mesures pour favoriser « la participation des Français à

---

2. Il y aurait beaucoup à dire sur la promotion systématique du « bénévolat » engagée par les pouvoirs publics. Voir à ce sujet « Le Lenoirisme ou la société unidimensionnelle », *Champ social,* n° 16.

l'amélioration de leur cadre de vie ». Cela va de la création dans les préfectures de bureaux chargés d'enregistrer et de conseiller (!) les associations à l'incitation pour les entreprises à financer des associations (lesquelles ?) par le moyen de déductions fiscales (!), etc. De ce fatras de propositions ne ressort qu'une « participation » réduite à une simple concertation, consultation des représentants des usagers sur tel ou tel élément secondaire d'un projet dont l'essentiel doit demeurer le domaine des « techniciens compétents » et des « élus qui représentent le peuple ». Mais l'essentiel des objectifs du rapport Delmon se situe ailleurs : puisqu'il existe de toute manière un courant aigu de revendications et de luttes, autant être informé de ses thèmes pour mieux les dévoyer, de son organisation pour mieux la contrôler. Les propositions faites permettraient de sélectionner dans chaque domaine des organisations « représentatives » sûres, proches du pouvoir, et de les doter de moyens financiers, administratifs et publicitaires relativement considérables afin de mieux canaliser les énergies.

## II. Le spectacle des villes nouvelles

C'est en réponse à la faillite de la politique des grands ensembles que naît celle des villes nouvelles. Sous l'égide de P. Delouvrier en 1965, avec le schéma directeur d'aménagement de la région parisienne, se concrétisent les villes nouvelles. En région parisienne : Cergy, Evry, Saint-Quentin-en-Yvelines, Marne-la-Vallée, Melun-Sénart ; et en province : Le Vaudreuil, l'Isle-d'Abeau, Lille-Est, l'Etang-de-Berre. On en oubliera une, celle que réalisera la promotion privée et qui est, en termes économiques, celle qui « décollera » le mieux : Créteil — fruit de la spéculation de grandes banques sur des champs de pommes de terre et de la mégalomanie d'un député maire cherchant à équilibrer un des plus arides grands ensembles de la région parisienne.

De la même manière qu'il l'avait fait pour la politique des grands ensembles, mais maintenant à un autre niveau, c'est l'Etat qui aménage. A part la similitude de rôle, cette continuité ne s'étend-elle pas plus loin ? Qu'est-ce qui différencie les villes nouvelles des grands ensembles, leurs immédiats prédécesseurs ?

La ville nouvelle, administrée par le syndicat des communes qui lui servent d'assise, mais en fait programmée et construite par l'Etablissement public d'aménagement (organisme public), est un super grand ensemble, richement doté d'équipements et très théoriquement d'emplois. C'est donc à un niveau formel et « social » que se situe la rupture. Si les grands ensembles étaient habités par des usagers, les villes nouvelles le seront par des usagers animés. Animation sociale et innovation architecturale sont, en effet, les mots clés de ces nouvelles formes d'habitat.

Toute la nouvelle politique repose sur le constat d'échec des grands ensembles. Au niveau formel, il faut rompre avec la monotonie, la lisibilité cynique du phénomène de masse ; au niveau social, avec la possibilité d'organisation autonome des habitants marginaux. Les grands ensembles portaient de grands pans d'ombre propices à l'illicite ; ici on multipliera les recoins, mais ils seront tous éclairés *a giorno*. L'irruption du gigantisme commercial doit canaliser les efforts et les désirs... Le reste du temps libre est destiné à être géré par les animateurs. C'est ce qu'exprime très clairement Michel Boscher, député maire d'Evry, lors de son discours d'inauguration de l'agora : « Nul ne pourra s'approprier ces lieux publics pour en faire sa chose. Tout au contraire, le public très divers qui s'y pressera, je l'espère, devra pouvoir se reconnaître dans sa propre diversité à travers les spectacles qui y seront donnés... »

Le spectacle a son importance. La ville nouvelle se veut en effet spectacle urbain tirant ses référents de l'image de la ville ancienne. Spectacle de camouflage s'entend, car la monofonctionnalisation, le manque d'emplois, la proximité destructurante de la capitale ont totalement appauvri sa signification urbaine. Comment rendre une triste vie belle à l'œil ? C'est ce à quoi s'emploient urbanistes, architectes, coloristes et designers, et c'est avec l'œil du touriste, sensible au pittoresque, qu'ils accompliront leur mission.

Ce souci du parement, on le retrouve intact et accompagné de la sempiternelle référence aux villes anciennes dans le discours de M. Druon, alors ministre de la Culture, parlant des matériaux de construction lors de l'inauguration de l'exposition des villes nouvelles : « Au moins pourrait-on remédier à leur tristesse interne par la couleur ou plus exactement par la coloration qui, naguère, conférait aux villes leur caractère distinctif, leur vérité, leur charme [3]. » Et derrière ces apparences, ne s'agit-il pas de rendre charmante la « tristesse interne » des habitants ? Les villes nouvelles ont des budgets pour cela : campagne animation, équipes audiovisuelles, clowns, etc. Animation regardée d'un très bon œil par les supermarchés qui voient là, et à juste titre, un net accroissement de leurs ventes.

Mais, à part cet objectif, à quoi donc est due cette volonté de diversité cantonnée au visuel ? Pourquoi ce nouveau style, pourquoi les villes nouvelles ? La revue *Entreprise* en donne une bonne raison dans son supplément sur la région parisienne : « Le Parisien est agressif, et c'est en cherchant à définir les raisons de son " associabilité " [...] que l'on en est venu à l'idée de créer les villes nouvelles qui n'offriraient pas les inconvénients de l'agglomération ou de la banlieue actuelle [4]. »

Il est à douter que les villes aient éliminé ces « inconvénients » ; en revanche, toute la structuration de l'espace concourt bien à éliminer l'associabilité et l'agression dont le patronat se soucie tant.

3. *Le Monde,* 29 avril 1973.
4. « Maîtriser le devenir de la région parisienne », 28 septembre 1973.

## III. Rénovation inverse, rénovation perverse

*Naissance d'une idée*

A travers le problème des grands ensembles, après la cassure de Mai 68, face à l'ancienne politique municipale « communiste » de participation par pétitions, contre l'implantation de groupes militants ou d'équipes d'animation radicalisées, la droite doit réagir. La fraction libérale du grand capital lance les campagnes démagogiques de la « participation à l'élaboration du cadre de vie ».

Les grands ensembles constituent un frein trop grand à la propagation des thèmes de telles campagnes. Les mots d'ordre « la bourgeoisie ne loge pas les travailleurs, elle les stocke » et « la bourgeoisie ne transporte pas les travailleurs, elle les roule » se sont inscrits sur des kilomètres de façades, sur des hectares de parkings, et partout dans le paysage français chacun peut lire cette réalité cyniquement exprimée... A présent, il s'agit de camoufler.

Nous avons présenté les « autocritiques » du pouvoir concernant les grands ensembles, à partir desquelles est forgée une nouvelle idée : il faut « réhabiliter les grands ensembles », considérés comme une erreur de parcours rendue nécessaire par l'effort de reconstruction.

L'ambiance du capitalisme libéral à la Giscard est propice à de telles initiatives, et deux voient le jour début 1975 : les propositions d'un groupe d'architectes, Arcane, et les opérations pilotes du groupe Habitat et Vie sociale (groupe interministériel).

Habitat et Vie sociale est un nouvel avatar du courant du Musée social, un groupe autonome formant une sorte de mini-establishment réformiste sur les questions du logement de masse. Déjà son intitulé le démasque et montre qu'il pose les questions à l'envers. Ce groupe propose avec la D. A. T. A. R., vers la fin 1974, une expérience sans précédent : rénover les grands ensembles, en effacer l'image de marque, modi-

Croquis d'intention du groupe Arcane, P. A. N., 1975.

fier le cadre de vie des habitants. Il s'agit de trouver six à huit ensembles particulièrement « mal conçus », mal entretenus... « mal habités » où, à l'aide de crédits D. A. T. A. R., F. I. A. T., etc., on montera des « opérations pilotes ». Les bonnes intentions ne suffisent pas, et les chargés d'études ont en tout et pour tout une grille d'analyse où figurent pêle-mêle tous les défauts susceptibles d'être la cause du dysfonctionnement social : de l'éloignement du lieu de travail à la monotonie architecturale, en passant par l'absence de commissariat. La direction prise est d'emblée « pédagogique ». On voit poindre ici une nouvelle idéologie : celle de la pédagogie de l'habitat, dernière étape du processus d'infantilisation de la classe dominée. Un chargé d'étude ne va-t-il pas jusqu'à dire [5] : « On leur a appris à faire des rideaux et on leur a donné des tissus... Il y a maintenant des rideaux aux fenêtres. »

La classe dominée ne saurait-elle pas habiter les logements sociaux que la bourgeoisie a si consciemment fabriqués à son intention ? Ou n'habiterait-elle pas « bien », pas « comme il faut », aurait-elle développé des habitudes de vie autonome, comme c'est particulièrement le cas des immigrés lorsqu'ils se retrouvent en ghettos ? Serait-ce que le contrôle du mode de vie n'y est plus possible... voire le contrôle policier (à la Sablière, les forces de l'ordre pénètrent difficilement [6]) ? S'agirait-il d'apprendre à des habitants marginaux à s'intégrer dans le circuit de la consommation dirigée [7] ?

Aucun des moyens envisagés par Habitat et Vie sociale dans ces opérations pilotes ne peut modifier les

---

5. Parlant d'une expérience précédente.
6. Et l'un des concepteurs de l'opération pilote conduite dans ce quartier de Rouen de justifier une vigoureuse politique à cet égard : « Les quartiers bourgeois ont droit au contrôle de la police, pourquoi ce droit ne serait-il pas celui des quartiers pauvres ? »
7. Du même : « La zone est sous-équipée, juste un petit Radar en bordure : il faudrait implanter une grosse surface commerciale. »

sources du vrai problème : distorsion lieu de production / lieu de reproduction, surpeuplement, barèmes de loyers, absence de pouvoir direct des habitants sur la production et la gestion de leur espace. Tout au plus accordera-t-on à ces derniers le pouvoir d'entériner cette absence en se prêtant au jeu d'une pseudo-participation portant sur la couleur des façades ou la plantation de quelques arbres.

Le groupe Arcane dépose à la session de février 1975 du P. A. N. (concours réalisé sous la tutelle du plan construction) un projet intitulé « rénovation inverse » qui lui vaudra d'être lauréat et d'obtenir une première commande en avril.

La méthode proposée est claire : « Faire vivre un ensemble construit, c'est influer sur les relations sociales de ceux qui l'occupent », disent les architectes d'Arcane. C'est ainsi que « nous avons accompagné notre étude par des éléments stratégiques, une méthodologie d'action élaborée par une sociologue, afin que la population concernée parvienne à une prise de conscience, à une attitude critique face à son habitat [8] ». « Au terme de ce long travail de " mise en condition ", les habitants devraient former un groupe cohésif qui prendrait en charge, avec l'aide d'experts à leur service (nous), la transformation de l'immeuble pour améliorer les conditions de vie et créer une communauté liée par les événements vécus ensemble. Ils agiraient sur le réel au lieu de le subir. »

Le tout est accompagné d'un « catalogue de possibilités » qui, s'il est plus riche en images que les grilles d'analyse d'Habitat et Vie sociale, n'aborde jamais les problèmes de fond : loggias rajoutées, paliers d'escaliers élargis, parkings fleuris, améliorations d'aspect par la peinture (encore elle !) et les plantations.

Le travers pédagogique souligné plus haut est domi-

---

8. Cette citation, comme les suivantes, est extraite d'entretiens que nous avons eu avec des architectes du groupe Arcane.

nant et il est fait peu de cas d'une participation réelle des habitants :

— l' « enquête sur le milieu » proposée est d'ordre psychosociologique et quelques semaines à peine lui sont réservées ;

— la « phase de motivation » est vue comme une campagne publicitaire : « Si on laissait entendre qu'on va tout bouleverser, on provoquerait des blocages » ;

— la constitution d'un groupement d'habitants est lue comme celle d'un outil justificatif : « Il faut bien se fabriquer un interlocuteur » ;

— lors de l'élaboration des propositions techniques, les habitants n'ont plus le droit de participer : « C'est un domaine où l'habitant n'intervient plus car c'est très technique » ;

— la réalisation, elle, se fera avec leur participation active ; les O. P. H. L. M. ne donnent pas beaucoup de crédits et la participation doit avoir ses revers : il faut mettre la main à la pâte. Pour cela on compte bien sur les habitants, mais pas pour le gros œuvre car c'est trop sérieux. La participation des habitants, sous forme de travail bénévole, est limitée au second œuvre, sous la direction permanente des « techniciens responsables »[9].

*Réhabilitation et contrôle social*

En 1975 sont lancées deux des premières « opérations pilotes » de réhabilitation de grands ensembles. L'une, conduite par le plan construction, confie le quartier du plateau Saint-Jean à Beauvais au groupe Arcane. L'autre, sous l'égide d'Habitat et Vie sociale, envisage un vaste « aménagement social » (budget global : plus de 30 millions de francs au stade actuel des estimations) du quartier de Grammont à Rouen.

---

9. Les architectes d'Arcane regrettent d'avoir à traiter des logements locatifs : il est sûr qu'en accession ils pourraient compter sur une plus grande mobilisation de la main-d'œuvre ! Curieux avatar du proudhonisme...

174

Point commun caractéristique : ces deux quartiers sont chacun le grand ensemble le plus proche du centre de sa ville. Ce n'est pas un hasard : au fur et à mesure qu'elle reconquiert les centres des villes, la bourgeoisie s'attache à repousser de plus en plus tout « danger social ». Grammont c'est la Sablière, dont les « loulous » font trembler la bourgeoisie rouennaise, démagogie journalistique de la presse locale aidant [10]. Pour cela, deux méthodes sont employées tour à tour ou simultanément : chasser les populations marginales ou « asociales », ou les normaliser. Moins brutale, plus sûre à long terme, la seconde convient mieux à la droite moderniste.

Ces opérations sont en cours, il est encore trop tôt pour les analyser. Mais leurs objectifs réels s'inscrivent d'ores et déjà avec clarté dans leurs programmes et dans les premières actions entreprises : replâtrage intensif et décoration des immeubles, aménagement des « espaces extérieurs » [11], suppression des « terrains vagues » au profit d'équipements sportifs spécialisés [12] ; construction d'un nouveau centre social (intégrant une surface commerciale !) mis à la disposition d'une « association éducative » inféodée à la municipalité ; destruction d'une cité d'urgence des années cinquante, remplacée par des pavillons entourés de jardins privatifs [13] dans lesquels seront relogés les habitants actuels grâce à un système d'aides personnelles [14]... en attendant qu'à leur départ une population plus « normale » vienne les remplacer, etc. Ces action, entreprises ou programmées à Rouen, visent plusieurs objectifs :

— développer le contrôle social de la population

---

10. *Paris-Normandie,* du groupe Hersant.
11. Notamment en multipliant les éclairages, afin que disparaissent les « coins d'ombre » suspects d'abriter des activités « malsaines » ou de favoriser les agressions.
12. C'est-à-dire dont l'utilisation est limitée et contrôlée, parfois très strictement (clôtures).
13. Sans qu'aucun espace à usage collectif ne subsiste.
14. Voir ce que nous avons dit de l'A.P.L.

(mise en place de structures « éducatives » plus appropriées) ;

— inscrire les habitants dans un espace plus contraignant où chaque lieu, entièrement aménagé, dicte sa fonction à l'utilisateur ;

— améliorer l'image de marque du quartier et sa qualité esthétique afin d'y attirer des familles moins difficiles qui « encadreront » les autres [15] et, à terme, les remplaceront totalement ;

— pour l'Office public de H. L. M. (propriétaire et gestionnaire de la totalité des immeubles), peser plus lourdement auprès des familles par un contrôle accru des « dégradations » causées aux immeubles (nouvel argument de mutations, voire d'expulsions ?) et par l'augmentation prévue des loyers (soigneusement cachée aux habitants, mais il faudra bien pour l'office rentabiliser 1 750 000 F investis dans la réhabilitation des immeubles et près de 10 millions de F dans la construction des pavillons).

Sans parler des objectifs politiques à court terme du gouvernement comme des municipalités concernées.

Chacune des « opérations pilotes » s'accompagne d'un vaste programme de concertation lancé à grand renfort de publicité.

A Rouen, après avoir limogé l'équipe d'animation initialement recrutée pour cause de menées subversives, les responsables de l'opération [16] ont vite repris en main les interventions décidées. Elles sont conduites en liaison avec le directeur du centre social et la présidente du pseudo-comité de quartier, seuls régulièrement consultés, et qui se gardent bien de mobiliser les habitants (par exemple face au « journal de quartier »

---

15. Déjà la municipalité s'appuie sur le comité de quartier, qui en fait représente quasi exclusivement le groupe d'immeubles dont les habitants sont les plus « sages » et réclament notamment une présence policière permanente.

16. Mission d'études basse Seine, ville de Rouen, Office Public d'H.L.M. de la ville de Rouen.

diffusé par l'office et auquel ils participent). La concertation est une fois de plus limitée à une certaine information des habitants, dont sont éliminées les informations jugées « prématurées » ou « inopportunes », et à quelques réunions où l'on ne parle ni des grandes options (« elles ne peuvent plus être remises en cause ») ni des financements ou des problèmes techniques (« laissons travailler les élus locaux et les spécialistes »).

Cette participation se heurte à l'indifférence et à la méfiance générale des habitants. La classe dominée a assez lutté, y compris sur le terrain de son cadre de vie, pour ne pas se laisser infantiliser par de telles méthodes.

# 3. Du participationnisme à la gestion démocratique

## I. Gérer les groupes sociaux

Quatre projets sont présentés par les principaux partis politiques français, qui visent à prendre en main la vie quotidienne des Français en dehors de leur travail. A travers eux, ce sont en fait deux polémiques qui se croisent [1] :

— l'une entre l'U. D. R. et le P. C. F., qui subordonnent la transformation de l'espace au développement des forces productives et s'opposent sur le modèle de développement de ces forces : capitalisme privé ou capitalisme d'Etat ;

— l'autre entre les R. I. et le P. S., qui postulent la relative indépendance de la transformation de l'espace et s'opposent sur les acteurs de cette transformation : bénévolat ou fonctionnarisme.

Mais un point commun les relie : chacun d'eux entretient et promeut les mythes de l' « idéologie communale », chacun d'eux chante les mérites et les vertus de la « démocratie locale ». L'idée, fortement ancrée dans la vie politique française, d'une municipalité proche des citoyens, gestionnaire attentive et « à l'échelle humaine » de besoins directement perçus, responsable « technique » d'une gestion trop « quotidienne » pour être vraiment politique, fleurit chaque jour dans les discours de la droite comme de la gauche réformiste. Présentée comme distincte des administrations nationales comme des circuits économiques, la

---

1. Voir à ce sujet *Place*, n° 5.

commune devient un écran placé devant la réalité de l'exercice des pouvoirs capitalistes.

Cette réalité est bien différente. La commune n'est en fait qu'un des rouages de l'Etat, délégué à la gestion des affaires courantes au sein de son périmètre. Car elle est totalement soumise au pouvoir central :

— institutionnellement : un maire peut être suspendu, un conseil municipal dissous par le Premier ministre ;

— juridiquement : les délibérations du conseil municipal doivent être visées par l'autorité préfectorale ; les permis de construire, les principaux règlement d'urbanisme relèvent des pouvoirs préfectoraux ou ministériels ;

— financièrement : le pouvoir central détient toutes les sources de subventions ou d'emprunts à des taux intéressants, contrôle les recettes et le budget des communes, inscrit d'office à ce budget certaines dépenses (routes, autoroutes...) ;

— économiquement : le poids des grandes entreprises nationales (E. D. F.-G. D. F., S. N. C. F., etc.) pèse lourdement sur de nombreuses décisions ;

— politiquement : à travers les éléments cités ci-dessus, mais aussi par exemple grâce à la détention par l'Etat des pouvoirs de police dans les grandes villes : il peut ainsi interdire une manifestation ou vider une usine de ses occupants sans en aviser la mairie.

Au moment où le pouvoir central compte [2] accentuer la mise sous tutelle des communes et leur permettre de mieux correspondre à l'état actuel de développement et de pénétration du capital (mise en place de structures supracommunales au travers des regroupements de communes), les diverses forces réformistes se fondent toujours à la fois sur l'entretien de l'idéologie communale et sur le respect des créneaux que veut bien leur laisser la bourgeoisie.

Sous sa forme majoritaire, le P. S. ne se distingue pas

2. Voir le rapport Guichard sur la réforme communale, déposé fin 1976.

vraiment des notables et des partis bourgeois avec lesquels il présentait des listes unitaires : à Marseille, Defferre appelle l'armée contre la grève des éboueurs et rénove à tour de bras le centre-ville. Sous sa forme avancée, le P. S. soutient et participe à l'action des groupes d'action municipale (G. A. M.) dont les revendications, lorsqu'ils sont dans l'opposition, s'attachent aux aspects formels et quantitatifs des problèmes, et l'action, lorsqu'ils détiennent des mairies, consiste en une gestion « ouverte » de l'institution qui s'appuie sur les idéologies du cadre de vie et de l'usager. Dans tous les cas, la rupture et l'étanchéité entre le monde du travail et celui de la commune est la règle. Rien dans les projets ni dans les pratiques actuelles du Parti socialiste ne dépasse de beaucoup les options prises par l' « humanisme libéral ».

Les projets et la pratique du P. C. F. vont beaucoup plus loin. Il s'agit de la tentative la plus cohérente jamais mise en œuvre d'un contrôle politique et social total de la gestion de la reproduction de la force de travail, reproduction dont la commune est le cadre privilégié.

Le P. C. F. a une longue tradition de gestion communale. Pour conquérir, garder, puis gérer la base sociale qui est la sienne, il a mobilisé pendant des années les forces du mouvement ouvrier, n'hésitant jamais à briser une lutte, à museler une colère, tant l'enjeu lui semblait important. Ce faisant, il a bâti ses fiefs sociaux et électoraux.

Et qu'y voit-on ? On y voit — comment pourrait-il en être autrement ? — le même processus de production. Mais ceux qui contrôlent ne sont pas les mêmes et leurs moyens sont particulièrement efficaces. Quand un parti de gauche contrôle en même temps la municipalité, l'office de H. L. M., l'école (par syndicats et associations de parents interposés), la maison des jeunes ou la maison de la culture et l'association des locataires, il contrôle l'essentiel du temps hors travail. S'il contrôle de plus le syndicat majoritaire sur les lieux de production, on conçoit combien considérable est sa force. D'autant plus qu'aucune autonomie de conception ni de décision n'est laissée à la « base », l'équipe municipale comme la fédération syndicale légitimant l'ensemble de leurs décisions par le pourcentage de voix obtenu lors de leur élection, dans la plus pure tradition idéologique de la démocratie bourgeoise.

Si toute pratique de lutte sur le terrain du cadre de vie est pour M. Juquin, membre du comité central du P. C. F., nécessairement « réformiste », c'est parce que le parti n'attend que de l'accroissement de la production une amélioration des conditions et du cadre de vie. Il choisit donc de gérer par ses élus plutôt que d'impulser la lutte. Le partage des tâches est soigneusement établi, que ce soit dans la situation actuelle ou dans le cas d'une victoire politique des forces du programme commun, aux yeux du P. C. F. : à l'Etat et aux entreprises la gestion des forces productives en vue de leur accroissement, au P. C. F. la gestion des rapports sociaux dans l'entreprise et le contrôle social dans la sphère de reproduction de la force de travail.

En avril 1974, le P. C. F. organisait à Grenoble un imposant colloque sur l'urbanisme, dont les rapports intégraux furent publiés par *La Nouvelle Critique*[3]. Une critique approfondie des thèses du P. C. F. passerait notamment par une étude détaillée de ce document. Nous nous contenterons ici de souligner deux points, qui nous sembleraient devoir orienter une telle analyse :

— l'essentiel des critiques portées par le P. C. F. à la production actuelle de l'espace demeurent essentiellement qualitatives (nombre de logements, d'équipements...) ou qualitatives/techniques (qualité des logements, des espaces extérieurs), mais ne remettent jamais en cause réellement le système de production lui-même, si ce n'est dans l'absence de réinvestissement public des profits réalisés (actuellement en grande partie

---

3. Numéro spécial « Pour un urbanisme... », novembre 1974.

privés). De même, les communes se plaignent d'être « désarmées » face à l'Etat, ou qu' « une situation plus délicate réduit [leurs] possibilités de recourir à des organismes d'études privés » (intervention de J. Marsaud à Grenoble). Ce qu'appelle de ses vœux le P. C. F., c'est un capitalisme d'Etat où le processus d'accumulation du capital ne serait pas remis en cause, mais où le contrôle du réinvestissement des profits réalisés serait confié à la « gestion démocratique » du parti ;

— la pratique municipale du P. C. F. est en constante contradiction avec les propos tenus contre la ségrégation urbaine ou les problèmes de transports par exemple, comme en témoigne entre autres la Z. U. P. d'Argenteuil, présentée en son temps comme une réalisation exemplaire par la municipalité communiste. Nous sommes bien entendu conscients de l'impossibilité qui existe de réaliser tout autre chose que ce que le système économico-social dominant impose. Mais le P. C. F. affirme avoir fait, et faire chaque jour, « autre chose » dans ses communes. Qui veut-il leurrer ?

C'est que le projet du Parti communiste français, s'il repose sur un fonctionnement différent de certaines relations économiques et sociales, relève des mêmes objectifs d'accumulation du capital et de contrôle social que celui de la droite. Mais sa cohérence et l'auto-légitimation de son pouvoir politique lui donnent peut-être une puissance intrinsèque plus grande. C'est en effet, à l'heure actuelle, moins la propriété propre du capital que le contrôle de sa circulation (de son procès de valorisation) qui est déterminant. Le P. C. F. est armé pour assurer ce contrôle qu'il revendique et assure déjà en partie.

Cette capacité de gestion, de contrôle pousse le P. C. F. à chercher à étendre son emprise sur l'ensemble du secteur du logement et de l'urbanisme. Pour ce faire, il doit s'allier le milieu des techniciens, les rassurer, les assurer du maintien à l'avenir de leurs prérogatives (voir les déclarations du colloque de Grenoble).

## II. Animez, il en restera toujours quelque chose...

C'est depuis longtemps déjà qu'animateurs et travailleurs sociaux ont fait leur apparition dans le champ social de la classe dominée. Les infirmières visiteuses inaugurent dès 1930 un outil qui va peu à peu se raffiner. De contrôle policier à vocation sociale, il va se faire plus subtil: éducateurs en milieu ouvert, équipes d'animation audiovisuelle, etc. Le développement des grands ensembles et le problème d'adaptation de la population qu'ils posent a posteriori favorise cette extension. Le champ des divers types d'intervention est large : il va des « commissariats en civil » des 4 000 de La Courneuve [4] aux ateliers communautaires de Cergy-Pontoise [5], de la révolte des éducateurs en milieu ouvert de Poissy ou de Caen à la pratique des « mille clubs ». Il y a quelques années, on dénombrait près de soixante « travailleurs sociaux » affectés en totalité ou en partie au quartier de la Sablière à Rouen... près d'un pour trente habitants !

Mais les équipes d'animation montrent parfois une « fâcheuse » tendance à remettre en cause la situation concrète des populations auprès desquelles elles interviennent, voire à favoriser leur radicalisation lorsqu'un conflit est en cours. Il s'agit donc pour les gestionnaires de l'espace de rendre plus efficient l'emploi d'animateurs ou de travailleurs sociaux. Pour ce faire, un vigoureux appel fut lancé auprès des sciences sociales, notamment de la psychosociologie [6], afin de fournir l'armature théo-

---

4. Après l'épisode du Narval où un adolescent fut abattu de sang-froid à La Courneuve, le ministère de l'Intérieur mit en place des commissariats pilotes (hôtesses, plantes vertes, port de l'uniforme interdit) dans les immeubles.

5. Equipe d'animateurs travaillant avec la population pour modifier physiquement l'espace public.

6. Enfant bâtard de la sociologie et de la psychologie, née aux Etats-Unis afin de répondre au développement des conflits sociaux dans les entreprises, la psychosociologie présente l' « avantage » d'être directement opérationnelle, car fondée sur des pratiques d'intervention.

rique des actions envisagées. Schématiquement, ces dernières sont de deux types :

— améliorer les relations responsables/population en donnant à cette dernière le sentiment de participer aux décisions prises, c'est ce que nous recouvrons du vocable « idéologie participationniste » ;

— multiplier les équipements sociaux et culturels sous couvert de « réponse aux besoins de la population », afin de couper court aux velléités d'activités autonomes ou de les encadrer lorsqu'elles préexistent à l'implantation de ces équipements.

Bien entendu, aucun de ces deux types n'existe de manière exclusive dans la réalité : les deux sont combinés en une multitude de formules intermédiaires. Leur distinction permet, cependant, de mieux définir deux stratégies différentes actuellement mises en œuvre dans l'espace urbain auprès de la classe dominée.

La première se dessine au travers des interventions du « capitalisme libéral » (voir les « opérations pilotes » dont nous avons parlé plus haut) comme dans la pratique de certaines municipalités, généralement à composante P. S. Elle s'appuie tout entière sur les idéologies du cadre de vie et de l'usager. Que ce soit à Grenoble par exemple ou au quartier de Grammont à Rouen, les actions entreprises sont en effet semblables : des équipes d'animation sont mises en place par le pouvoir local auprès des habitants afin de lui servir de relais. Elles ont pour mission de mettre en forme et de diffuser l'information, d'intéresser les habitants aux projets en cours afin de pouvoir traduire cet intérêt en adhésion [7], de recueillir les « avis » afin de les

7. En janvier 1977 sort un numéro spécial d'une revue de la D.A.T.A.R. sur l'opération pilote d'aménagement social du quartier de Grammont à Rouen, où Lecanuet, ministre et maire, déclare qu' « aucune décision n'a été prise sans l'accord des habitants ». « Accord » obtenu au cours d'une dizaine de « réunions d'habitants » souvent houleuses, auxquelles participaient à chaque fois une vingtaine de personnes... sur plus de trois mille !

transmettre aux décideurs. Elles sont amenées ainsi à jouer un précieux rôle de « tampon », d'atténuateur ou de désamorceur des conflits. Elles sont le plus souvent conduites à intervenir de manière privilégiée auprès des habitants actifs susceptibles de devenir des « représentants responsables ». Ces équipes d'animation travaillent le plus souvent sous contrat limité, ce qui permet de contrôler précisément leur mission, et au besoin de se passer de leurs services en cas de « trahison ».

La politique sociale et culturelle globale mise en place dans le cadre de cette stratégie relève plutôt d'une intervention au « coup par coup ». Maîtrisant mal les processus susceptibles d'être enclanchés par une animation globale, ses promoteurs préfèrent livrer des équipements que les moyens de les faire fonctionner. Le schéma classique est alors celui d'un centre socioculturel dont les seuls employés permanents sont le directeur et la secrétaire. Les services sociaux sont assurés par des « permanences » de l'Action sanitaire et sociale ou du Bureau d'aide sociale municipal. L'animation est réalisée par des animateurs spécialisés chacun dans un domaine précis, employés et rémunérés à la vacation, et par un appel massif au bénévolat. L'objectif est de fournir à la consommation des habitants des activités très spécialisées (yoga, poterie...), en l'absence de toute véritable « équipe d'animation ». Une telle équipe pourrait en effet mettre en œuvre un projet global d'animation ne convenant pas à une municipalité, qui peut d'autant moins le contrôler qu'elle n'a généralement pour sa part aucun projet précis. L'expérience bien connue des maisons des jeunes et de la culture est là pour le démontrer.

Démagogie participationniste et absence de projet culturel global exprimé caractérisent donc cette première stratégie d'intervention dans l'espace urbain auprès de la classe dominée.

La seconde stratégie est radicalement différente. Elle peut se passer des effets et artifices du « participationnisme », car le pouvoir qui l'élabore tire une fois pour toutes de son élection la légitimité de chacune de ses décisions. Il dispose en plus, généralement, de relais (comités, associations ou syndicats selon les cas) solidement en place et dont les objectifs sont adaptés aux siens.

Cette stratégie développe l'implantation, en chaque lieu jugé socialement utile au projet qui la sous-tend, d'équipements socio-culturels structurés et disposant de moyens et de budgets importants. Ils sont confiés à des animateurs dont le statut est souvent plus clair et « sécurisant » que dans le cas précédent. La contre-partie de ces moyens et de ce statut est l'accord total recherché entre le projet de l'équipe d'animation et la municipalité responsable, accord qui ne souffre aucune divergence. Royer, maire U. D. R. de Tours, ferme brutalement son centre d'art dramatique en plein essor, comme la municipalité P. C. F. de Fontenay-sous-Bois licencie coup sur coup l'ensemble du personnel d'anima-tion de sa M. J. C. puis de son centre culturel !

Sous une forme ou sous une autre, l' « animation » de l'espace urbain est aujourd'hui le lubrifiant néces-saire à l'exercice du contrôle social dans la ville. Bateleurs et camelots sont exclus du paysage urbain. Centres socio-culturels et quinzaines commerciales les remplacent. Les places deviennent « dalles » ou « agora ». Pour assurer sa survie, la ville capitaliste doit imposer à la classe dominée de nouvelles formes de relations sociales. Les activités physiques constitutives de la reproduction de la force de travail (sommeil, nutrition...) sont aujourd'hui tout entières inscrites dans les rapports marchands capitalistes. Il ne reste plus au système qu'à soumettre l'ensemble des compor-tements sociaux et culturels de la classe dominée à sa propre idéologie.

A cette redoutable menace, la gauche réformiste qui porte aujourd'hui les « espoirs » de la majorité des travailleurs oppose ses propres projets de contrôle social. La classe dominée est ainsi conduite à reven-diquer la maîtrise de son logement et de son espace également contre ses propres « représentants ». De telles luttes sont déjà engagées à Lille au quartier du Triolo, à Fontenay, à Amsterdam et ailleurs. De leur développement dépend en grande partie la naissance d'une véritable pratique de luttes anticapitalistes. Face à la production capitaliste de l'espace se dresse l'usage populaire, se développent les luttes du peuple pour son pouvoir.

*Au contrôle social doit s'opposer l'appropriation populaire de l'espace. Mais une telle lutte ne pourra réellement atteindre ses objectifs que si elle se trouve reliée à une action convergente des travailleurs employés à la production de l'espace.*

# Annexe. La rente foncière

Bien que Marx ait essentiellement traité de la rente sur les sols agricoles, son analyse reste, dans ses fondements, applicable aux sols urbains. C'est cette analyse que nous présentons ici.

La rente foncière est fondamentalement constituée par une part de la plus-value réalisée par un investisseur capitaliste (fermier, constructeur...) sur un terrain, qui est versée au propriétaire foncier en échange du droit de propriété juridique de son terrain.

Marx distingue trois types de rente :

— la rente absolue : «... Des capitaux égaux produisent, dans différentes sphères de production et selon la différence de leur composition moyenne, des masses différentes de plus-value [...]. Dans l'industrie, il y a péréquation de ces différentes masses de plus-value pour donner le profit moyen et le distribuer uniformément entre les divers capitaux. Dès que la production a besoin de la terre [...], la propriété foncière empêche cette péréquation pour les capitaux investis dans le sol et accapare une partie de la plus-value qui, autrement, entrerait dans le fonds de péréquation du taux

---

1. Voir K. MARX, *Le Capital*, l. III, t. 3, et *Théories sur la plus-value*, t. 1. Egalement F. ENGELS, *La Question du logement*, et E. MANDEL, *Traité d'économie marxiste*, t. 2, chapitre sur la rente.
Sur le problème de la rente foncière en milieu urbain, voir aussi l'analyse de A. LIPIETZ, *Le Tribut foncier urbain*, op. cit., 3e partie. Cette analyse, bien que souvent confuse (notamment dans la « critique de Marx ») et parfois contradictoire, n'en reste pas moins importante dans le débat théorique qui se déroule actuellement sur la rente foncière.

général de profit[2]. » La rente constitue donc bien une ponction sur la plus-value capitaliste. Cette contradiction directe capital financier ou industriel/propriété foncière se double d'une seconde : la marchandise produite sur le sol voit son prix s'élever car le capitaliste y incorpore tout ou partie de la rente. L'élévation du prix à la consommation[3], grevant notamment les budgets ouvriers, peut entraîner des revendications de salaires. La rente foncière se trouve alors prélevée sur la plus-value produite dans l'ensemble de l'industrie[4]. Et non plus seulement dans l'industrie agricole, ou du logement par exemple !

— la rente différentielle 1 : elle est due aux différences de profits réalisés sur des terrains différents[5], à investissement de capitaux égaux. Certains investisseurs peuvent ainsi réaliser un « surprofit » (la marchandise étant vendue à son prix moyen) dont le propriétaire foncier s'approprie une part ;

— la rente différentielle 2 : elle est due aux différences de profits réalisés sur des terrains équivalents, lorsque les capitaux investis diffèrent[6]. Là encore, le propriétaire foncier s'approprie une part du surprofit réalisé. Les deux rentes différentielles constituent donc, elles aussi, une ponction sur la plus-value, sous sa forme de profit industriel.

Quant au prix du terrain, il constitue pour Marx la « capitalisation de la rente », c'est-à-dire le montant total actualisé des rentes escomptées ou « produites » sur le terrain.

---

2. K. MARX, Le Capital, op. cit., p. 154.
3. Hausse des loyers par exemple.
4. Voir à ce propos le « problème du pétrole », caractéristique de cette situation : la rente perçue par les propriétaires de sols pétroliers est prélevée sur la plus-value produite par l'ensemble des industries des pays consommateurs.
5. Par leur fertilité ou leur situation.
6. Par leur quantité, leur « productivité ».

# Table

Paradix
– permanence exploit
absence j contrat
lithout rent. change.
– 160 rehalejt demand

ACHEVÉ D'IMPRIMER EN AVRIL 1977
SUR LES PRESSES DE L'IMPRIMERIE
CORBIÈRE ET JUGAIN, A ALENÇON (ORNE)
DÉPÔT LÉGAL : 2e TRIMESTRE 1977
PREMIER TIRAGE : 10 000 EXEMPLAIRES
ISBN 2-7071-0932-0

12.00  B  6 / I

10. 1815-40 Dev' of CMP in France based
on 'freedoms' of 1791 repeal' (textile led)
1848-9 Left voting → new integ'n 'proj'"

15 1850-70 cap exp'n (steel, rlwys)
internal exp'n; emergence of finance cap
step of ind. cap (need for
aggreg' of savings)

20 1870-90 2nd crisis
landed interest needed by bourgeoisie
for pol. power.
'republican idea'

22 Imperialism 1890-1914
birth of petite bourge

25 1918-1945 industrial conflict
rent freeze & after 1918
Loucheur Act 26

28 property capital subord. to
ind. capital
little locked up after 1932

38 Uses Hy - gds ensembles

45 Early 19th c. Neglect of RP *

47 threat to bourge (cholera, uprising)
use of public health movement
Tensionism by employers disputes
→ littérature v.c. housing (ownership
close to workplace

54 In existing terms  [surplus pop']
employer hsg for social control
Physical Syprof Kjakkad
1850s Haussmann

57 railways / suburbs   B.
1850-70 suburbs, land to

60 finance interest involvement
1914-45
Municipal cté - garden cités
- HBM

69 Potron reconst'
70 1948 Law - to enc new bld'
- only housing bld
1954-70 grands ensembles.

34 Analyses of grands ensemble
ind. capital,
bld mats
fin. cap.
state

83 of Byr seek profit
segregative effects -
jail as integrating device
89 1957 ZUP.
1967 L.O.F = ZAC
*91 No w.class key victories
94 ZUPs - seg hsg 1 and cost

II Current Policy

101 Landed property dom' over
fin capital  [?]
w.class struggle, helps ind.
capital vis à vis landed prop'
* [1923 Loucheur Act]
1948 rent act
w.class strength determines
State will agst land interest
105 lost 68 measures
106 further land own'
P.b. strength in Parli (UDR)
helps attacks on landed int'
Socialist + Communist idea
* 114 Political strategy

119 Ideology of home owners
moral functions
central of family budget
effect on behaviour
126 Hsg as commodity ?
[1969 norms for HLM ended]  136
128 Hsg / consumption
→ hence interest on mtge ra

132 New policies
136 easing of regulations
Nora + Barre reports
- ending of control on costs
for rents etc, enc. 0/0
- new hsg allowance to
guarantee effective demand
+ tight control over incomes